교과
연산

Fo

초6   <수특강> 자연수의 나눗셈

변화를 정확히 이해해야 합니다.

수학의 기본이면서 이제는 필수가 된 연산 학습, 그런데 왜 우리 아이들은 많은 학습지를 풀고도 학교에 가면 연산 문제를 해결하지 못할까요?

지금 우리 아이들이 학습하는 교과서는 과거와는 많이 다릅니다. 단순 계산력을 확인하는 문제 대신 다양한 상황을 제시하고 상황에 맞게 문제를 해결하는 과정을 평가합니다. 그래서 단순히 계산하여 답을 내는 것보다 문장을 이해하고 상황을 판단하여 스스로 식을 세우고 문제를 해결하는 복합적인 사고 과정이 필요합니다. 그림을 보고 상황을 판단하는 능력, 그림을 보고 상황을 말로 표현하는 능력, 문장을 이해하는 능력 등 상황 판단 능력을 길러야 하는 이유입니다.

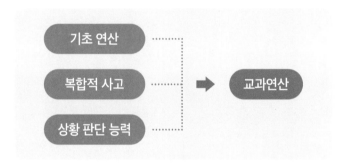

연산 원리를 학습함에 있어서도 대표적인 하나의 풀이 방법을 공식처럼 외우기만 해서는 지금의 연산 문제를 해결하기 어렵습니다. 연산 학습과 함께 다양한 방법으로 수를 분해하고 결합하는 과정, 즉 수 자체에 대한 학습도 병행되어야 합니다.

교과연산은 연산 학습과 함께 수 자체를 온전히 학습할 수 있도록 단계마다 '수특강'을 구성하고 있습니다. 계산은 문제를 해결하는 하나의 과정으로서의 의미가 큽니다.

학교에서 배우게 될 내용과 직접적으로 관련이 있는 교과연산으로 가장 먼저 시작하기를 추천드립니다. 요즘 연산은 교과 연산입니다.

"계산은 그 자체가 목적이 아닙니다. 문제를 해결하는 하나의 과정입니다."

하루 **한** 장, **75**일에 완성하는 **교과연산**

한 단계는 총 4권으로 수를 학습하는 0권과 연산을 학습하는 1권, 2권, 3권으로 구성되어 있습니다.

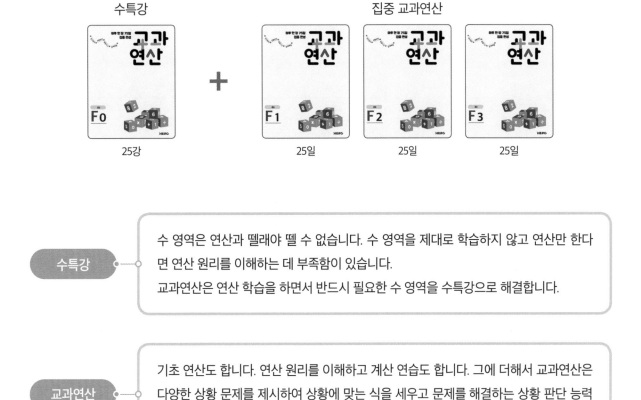

수특강

집중 교과연산

F0
25강

F1
25일

F2
25일

F3
25일

수특강 — 수 영역은 연산과 뗄래야 뗄 수 없습니다. 수 영역을 제대로 학습하지 않고 연산만 한다면 연산 원리를 이해하는 데 부족함이 있습니다.
교과연산은 연산 학습을 하면서 반드시 필요한 수 영역을 수특강으로 해결합니다.

교과연산 — 기초 연산도 합니다. 연산 원리를 이해하고 계산 연습도 합니다. 그에 더해서 교과연산은 다양한 상황 문제를 제시하여 상황에 맞는 식을 세우고 문제를 해결하는 상황 판단 능력을 길러줍니다.

"연산을 이해하기 위해서는 수를 먼저 이해해야 합니다."

원리는 기본, 복합적 사고 문제까지 다루는 교과연산

원리

수와 연산의 원리를
이해하고 연습합니다.

복합적 사고

연산 원리를 이용하여
다양한 소재의 복합적
문제를 해결합니다.

상황 판단 문제

문장 이해력을 기르고
상황에 맞는 식을 세워
문제를 해결합니다.

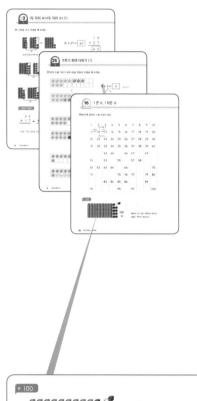

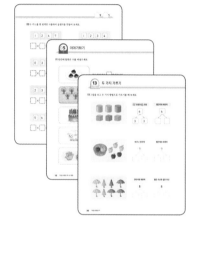

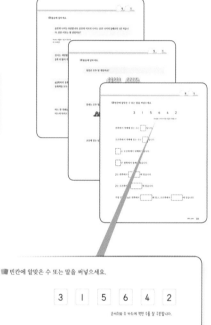

[체크 박스]
문제를 해결하는 데 도움이
되는 방향을 제시합니다.

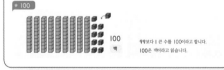

[개념 포인트]
꼭 필요한 기본 개념을
설명합니다.

"교과연산은 꼬이고 꼬인 어려운 연산이 아닙니다.

일상 생활 속에서 상황을 판단하는 능력을 길러주는 연산입니다."

하루 **한** 장, **75**일 집중 완성 교과연산 **묻고 답하기** Q & A

Q1 왜 교과연산인가요?

지금의 교과서는 과거의 교과서와는 많이 다릅니다. 하지만 아쉽게도 기존의 연산학습지는 과거의 연산 학습 방법을 그대로 답습하고 변화를 제대로 반영하지 못하고 있습니다. 교과연산은 교과서의 변화를 정확히 이해하고 체계적으로 학습을 할 수 있도록 안내합니다.

Q2 다른 연산 교재와 어떻게 다른가요?

교과연산은 변화된 교과서의 핵심 내용인 상황 판단 능력과 복합적 사고력을 길러주는 최신 연산 프로그램입니다. 또한 연산 학습의 바탕이 되는 '수'를 수특강으로 다루고 있어 수학의 기본이 되는 연산학습을 체계적으로 학습할 수 있습니다.

Q3 학교 진도와는 맞나요?

네, 교과연산은 학교 수업 진도와 최신 개정된 교과 단원에 맞추어 개발하였습니다.

Q4 단계 선택은 어떻게 해야 할까요?

권장 연령의 학습을 추천합니다.
다만, 처음 교과 연산을 시작하는 학생이라면 한 단계 낮추어 시작하는 것도 좋습니다.

Q5 '수특강'을 먼저 해야 하나요?

'수특강'을 가장 먼저 학습하는 것을 권장합니다. P단계를 예로 들어보면 P0(수특강)을 먼저 학습한 후 차례대로 P1~P3 학습을 진행합니다. '수특강'은 각 단계의 연산 원리와 개념을 정확하게 이해하고 상황 문제를 해결하는 데 디딤돌이 되어줄 것입니다.

이 책의 차례

1주차 똑같이 나누기

01 여러 개를 똑같이 나누기

전체를 나누는 방법으로 주어진 만큼 색칠하고, 빈칸에 알맞은 수를 써넣으세요.

6을 똑같이 3으로 나눈 것 중 하나

전체 6개를 3묶음으로 묶습니다.

8을 똑같이 4로 나눈 것 중 하나

5를 똑같이 5로 나눈 것 중 하나

10을 똑같이 2로 나눈 것 중 하나

1을 각각 나누는 방법으로 주어진 만큼 색칠하고, 빈칸에 알맞은 수를 써넣으세요.

6을 똑같이 3으로 나눈 것 중 하나

$\dfrac{6}{3} = \boxed{}$

$\dfrac{1}{3}$이 6개이므로 $\dfrac{6}{3}$입니다.

각각의 1을 3등분합니다.

6을 똑같이 2로 나눈 것 중 하나

$\dfrac{\boxed{}}{\boxed{}} = \boxed{}$

4를 똑같이 4로 나눈 것 중 하나

$\dfrac{\boxed{}}{\boxed{}} = \boxed{}$

9를 똑같이 3으로 나눈 것 중 하나

$\dfrac{\boxed{}}{\boxed{}} = \boxed{}$

남김없이 나누기 (1)

최대한 나누고 남은 것을 자르는 방법으로 색종이를 나누어 가지려고 합니다. 한 명이 가지는 색종이 양만큼 색칠하고, 대분수로 나타내어 보세요.

3장을 2명에게 똑같이 나누기

1장씩 가진 다음, 남은 1장을 2등분하여 똑같이 나누어 가집니다.

5장을 3명에게 똑같이 나누기

5장을 4명에게 똑같이 나누기

10장을 3명에게 똑같이 나누기

모든 색종이를 각각 자르는 방법으로 색종이를 나누어 가지려고 합니다. 한 명이 가지는 색종이 양만큼 색칠하고, 가분수로 나타내어 보세요.

3장을 2명에게 똑같이 나누기

각각 2등분하여 각 색종이의 $\frac{1}{2}$씩 가집니다.

4장을 3명에게 똑같이 나누기

8장을 5명에게 똑같이 나누기

7장을 6명에게 똑같이 나누기

남김없이 나누기 (2)

📘 한 명이 가지는 색종이 양만큼 색칠하고, 분수로 나타내어 보세요.

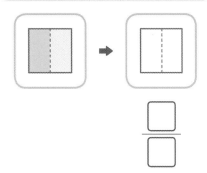

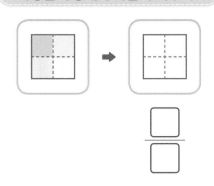

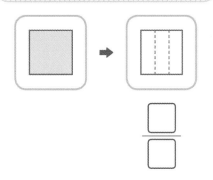

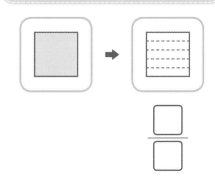

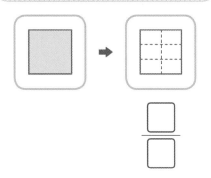

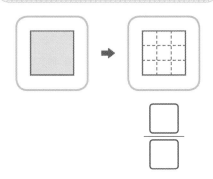

📖 한 명이 가지는 색종이 양만큼 색칠하고, 분수로 나타내어 보세요.

2장을 3명에게 똑같이 나누기

1장씩 나눌 수 없으므로 각 색종이를 3등분합니다.

3장을 4명에게 똑같이 나누기

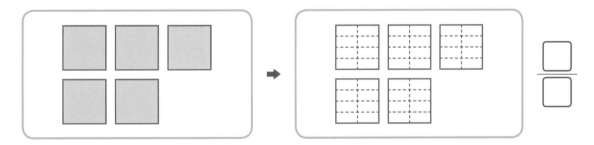

5장을 8명에게 똑같이 나누기

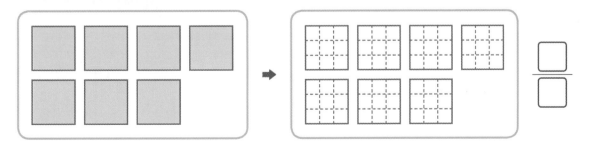

7장을 9명에게 똑같이 나누기

■ 빈칸에 알맞은 수를 써넣으세요.

수수깡 1개를 2명에게 똑같이 나누면 한 명은 $\dfrac{1}{2}$개를 가집니다.

수수깡 3개를 2명에게 똑같이 나누면 한 명은

$\dfrac{1}{2}$을 3개 가지므로 $\dfrac{\boxed{}}{2}(=1\dfrac{\boxed{}}{2})$개를 가집니다.

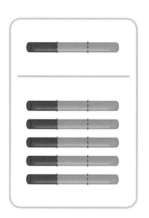

수수깡 1개를 3명에게 똑같이 나누면 한 명은 $\dfrac{\boxed{}}{3}$개를 가집니다.

수수깡 5개를 3명에게 똑같이 나누면 한 명은

$\dfrac{\boxed{}}{3}$을 5개 가지므로 $\dfrac{\boxed{}}{3}(=\boxed{}\dfrac{\boxed{}}{\boxed{}})$개를 가집니다.

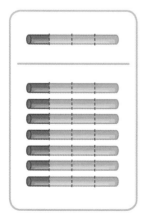

수수깡 1개를 4명에게 똑같이 나누면 한 명은 $\dfrac{\boxed{}}{\boxed{}}$개를 가집니다.

수수깡 7개를 4명에게 똑같이 나누면 한 명은

$\dfrac{1}{4}$을 $\boxed{}$개 가지므로 $\dfrac{\boxed{}}{\boxed{}}(=\boxed{}\dfrac{\boxed{}}{\boxed{}})$개를 가집니다.

빈칸에 알맞은 수를 써넣으세요.

피자 1판을 5명이 똑같이 나누어 먹으면 한 명은 $\dfrac{1}{5}$판을 먹습니다.

피자 2판을 5명이 똑같이 나누어 먹으면 한 명은 $\dfrac{1}{5}$을 2번 먹으므로 $\dfrac{\square}{5}$판을 먹습니다.

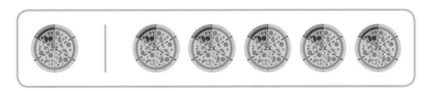

피자 1판을 6명이 똑같이 나누어 먹으면 한 명은 $\dfrac{\square}{6}$판을 먹습니다.

피자 5판을 6명이 똑같이 나누어 먹으면 한 명은 $\dfrac{\square}{6}$을 5번 먹으므로 $\dfrac{\square}{6}$판을 먹습니다.

피자 1판을 8명이 똑같이 나누어 먹으면 한 명은 $\dfrac{\square}{\square}$판을 먹습니다.

피자 3판을 8명이 똑같이 나누어 먹으면 한 명은 $\dfrac{1}{8}$을 $\square$번 먹으므로 $\dfrac{\square}{\square}$판을 먹습니다.

🔹 물을 남김없이 똑같이 나누어 담습니다. 각 병에 담기는 물의 양만큼 색칠해 보세요.

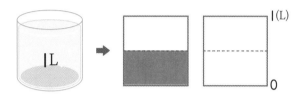

1L를 2병에 나누어 담기

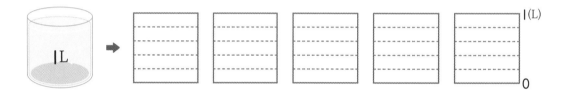

1L를 5병에 나누어 담기

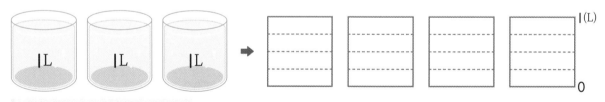

3L를 4병에 나누어 담기

1L를 4병에 나누어 담는 것을 3번 합니다.

2L를 5병에 나누어 담기

📘 물음에 답하세요.

물이 1L 있습니다. 물을 남김없이 컵 3개에 똑같이 나누어 담습니다. 컵 하나에 담기는 물은 몇 L인지 분수로 나타내어 보세요.

( )L

사과 9개를 4명이 남김없이 똑같이 나누어 먹으려고 합니다. 한 명은 사과 몇 개를 먹는지 분수로 나타내어 보세요.

( )개

끈 4m를 7명이 남김없이 똑같이 나누어 가집니다. 한 명은 끈을 몇 m 가지는지 분수로 나타내어 보세요.

( )m

💬 물음에 답하세요.

연지가 케이크 1개를 4일 동안 매일 똑같은 양만큼 먹어서 남김없이 모두 먹으려고 합니다. 하루에 먹는 케이크는 몇 개인지 분수로 나타내어 보세요.

(   )개

리본끈 6m를 5명이 남김없이 똑같이 나누어 가지려고 합니다. 한 명이 가지는 리본끈은 몇 m인지 분수로 나타내어 보세요.

(   )m

넓이가 8m²인 화단이 있습니다. 화단 전체를 넓이가 똑같도록 3부분으로 나누면 한 부분은 몇 m²인지 분수로 나타내어 보세요.

(   )m^2

우유 3L를 5명이 남김없이 똑같이 나누어 마신다면 한 명은 우유를 몇 L 마시는지 분수로 나타내어 보세요.

(   )L

2주차 자연수의 나눗셈 (1)

06 몫이 1보다 작은 나눗셈

🔷 그림을 보고 몫을 구해 보세요.

$1 \div 4 = \dfrac{\square}{\square}$

1÷4는 1을 4등분한 것 중 하나입니다.

$3 \div 4 = \dfrac{\square}{\square}$

1을 각각 4등분하면 $\dfrac{1}{4}$이 3개입니다.

$1 \div 5 = \dfrac{\square}{\square}$

$2 \div 5 = \dfrac{\square}{\square}$

$1 \div 8 = \dfrac{\square}{\square}$

$5 \div 8 = \dfrac{\square}{\square}$

★ 자연수의 나눗셈 (1)

6÷3은 6을 3등분한 것 중 하나입니다.

$6 \div 3 = 2$

1÷3은 1을 3등분한 것 중 하나입니다.

$1 \div 3 = \dfrac{1}{3}$

2÷3은 2를 3등분한 것 중 하나입니다.

$2 \div 3 = \dfrac{2}{3}$

2÷3은 $\dfrac{1}{3}$이 2개 이므로 $\dfrac{2}{3}$입니다.

나눗셈을 그림으로 나타내고, 몫을 구해 보세요.

$$1 \div 3 = \frac{\Box}{\Box}$$

$$1 \div 2 = \frac{\Box}{\Box}$$

$$1 \div 6 = \frac{\Box}{\Box}$$

$$3 \div 5 = \frac{\Box}{\Box}$$

$$6 \div 7 = \frac{\Box}{\Box}$$

$$5 \div 6 = \frac{\Box}{\Box}$$

$$4 \div 9 = \frac{\Box}{\Box}$$

🔖 1÷(자연수)를 이용하여 (자연수)÷(자연수)를 하는 과정입니다. 빈칸에 알맞은 수를 써넣으세요.

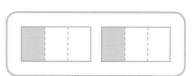

전체 2를 3등분하기 어려우므로 1을 각각 3등분한 것 중의 하나씩을 합칩니다.

$1 \div 3 = \dfrac{\square}{\square}$ 입니다.

$2 \div 3$ 은 $\dfrac{1}{3}$ 이 $\square$ 개이므로 $2 \div 3 = \dfrac{\square}{\square}$ 입니다.

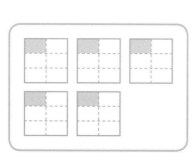

$1 \div 6 = \dfrac{\square}{\square}$ 입니다.

$5 \div 6$ 은 $\dfrac{1}{6}$ 이 $\square$ 개이므로 $5 \div 6 = \dfrac{\square}{\square}$ 입니다.

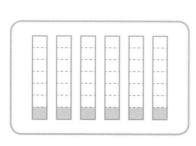

$1 \div 7 = \dfrac{\square}{\square}$ 입니다.

$6 \div 7$ 은 $\dfrac{\square}{\square}$ 이 6개이므로 $6 \div 7 = \dfrac{\square}{\square}$ 입니다.

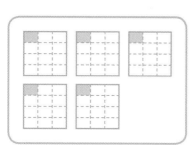

$1 \div 12 = \dfrac{\square}{\square}$ 입니다.

$5 \div 12$ 는 $\dfrac{\square}{\square}$ 이 $\square$ 개이므로 $5 \div 12 = \dfrac{\square}{\square}$ 입니다.

🔖 나눗셈의 몫을 분수로 나타내어 보세요.

$1 \div 5$

$1 \div 7$

$1 \div 9$

$1 \div 8$

$2 \div 3$

$3 \div 5$

$4 \div 5$

$7 \div 8$

$5 \div 9$

$2 \div 7$

$9 \div 10$

$7 \div 11$

$4 \div 15$

$10 \div 13$

08강 몫이 1보다 큰 나눗셈

📑 그림을 보고 몫을 구해 보세요.

$$3 \div 2 = \boxed{}$$

1÷2는 $\frac{1}{2}$이므로
3÷2는 $\frac{1}{2}$이 3개입니다.

$$5 \div 2 = \boxed{}$$

$$6 \div 5 = \boxed{}$$

$$8 \div 5 = \boxed{}$$

$$5 \div 4 = \boxed{}$$

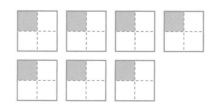

$$7 \div 4 = \boxed{}$$

★ 자연수의 나눗셈 (2)

5÷3은 5를 3등분한 것 중 하나입니다.

$$5 \div 3 = \frac{5}{3} \left(= 1\frac{2}{3} \right)$$

5÷3=1…2이므로 나머지 2를 다시 3등분합니다.

$$5 \div 3 = 1\frac{2}{3} \left(= \frac{5}{3} \right)$$

(자연수)÷(자연수)의 몫을 분수로 나타내면 ■÷●=$\frac{■}{●}$입니다.

🎴 그림을 보고 몫을 구해 보세요.

$4 \div 3 =$ 　　　

4÷3=1…1이므로 나머지
1을 다시 3등분하여 몫
1과 더합니다.

$8 \div 3 =$ 　　　

$7 \div 5 =$ 　　　

$11 \div 5 =$ 　　　

$15 \div 4 =$

09 나머지를 이용한 나눗셈

📖 자연수의 몫과 나머지를 이용하여 (자연수)÷(자연수)를 하는 과정입니다. 빈칸에 알맞은 수를 써넣으세요.

$8÷5$

$8÷5=1\cdots3$입니다. 나머지 3을 5로 나누면 $\dfrac{\square}{5}$이므로

$8÷5=1\dfrac{\square}{5}=\dfrac{\square}{5}$입니다.

$9÷4$

$9÷4=2\cdots\square$, 나머지 $\square$을/를 4로 나누면 $\dfrac{\square}{4}$이므로

$9÷4=2\dfrac{\square}{4}=\dfrac{\square}{4}$입니다.

$11÷2$

$11÷2=\square\cdots\square$, 나머지 $\square$을/를 2로 나누면 $\dfrac{\square}{\square}$이므로

$11÷2=\square\dfrac{\square}{\square}=\dfrac{\square}{\square}$입니다.

$18÷7$

$18÷7=\square\cdots\square$, 나머지 $\square$을/를 7로 나누면 $\dfrac{\square}{\square}$이므로

$18÷7=\square\dfrac{\square}{\square}=\dfrac{\square}{\square}$입니다.

📖 나눗셈의 몫을 분수로 나타내어 보세요.

$5 \div 3$

$9 \div 2$

$8 \div 7$

$7 \div 3$

$6 \div 5$

$9 \div 7$

$10 \div 3$

$11 \div 6$

$14 \div 9$

$18 \div 5$

$19 \div 2$

$23 \div 8$

$21 \div 4$

$28 \div 3$

🔖 빈칸에 알맞은 수를 써넣으세요.

$1 \div 3$은 1을 똑같이 3으로 나눈 것 중 하나입니다.

$1 \div 3$은 1의 $\dfrac{1}{3}$과 같으므로 $\dfrac{\boxed{}}{3}$입니다.

$4 \div 5$는 4를 똑같이 5로 나눈 것 중 하나입니다.

$4 \div 5$는 4의 $\dfrac{1}{\boxed{}}$과 같으므로 $\dfrac{\boxed{}}{5}$입니다.

$7 \div 2$는 7을 똑같이 $\boxed{}$(으)로 나눈 것 중 하나입니다.

$7 \div 2$는 7의 $\dfrac{1}{\boxed{}}$과 같으므로 $\dfrac{\boxed{}}{2} = \boxed{}\dfrac{\boxed{}}{2}$입니다.

📖 나눗셈식을 곱셈식으로 나타내고 계산해 보세요.

$$1 \div 6 = 1 \times \frac{1}{6} = \boxed{}$$

$$3 \div 5 = 3 \times \frac{1}{5} = \boxed{}$$

$$2 \div 9 = 2 \times \frac{1}{\boxed{}} = \boxed{}$$

$$5 \div 7 = 5 \times \frac{1}{\boxed{}} = \boxed{}$$

$$7 \div 6 = 7 \times \frac{\boxed{}}{\boxed{}} = \boxed{}$$

$$19 \div 8 = 19 \times \frac{\boxed{}}{\boxed{}} = \boxed{}$$

$$9 \div 5 = \boxed{} \times \frac{1}{\boxed{}} = \boxed{}$$

$$20 \div 9 = \boxed{} \times \frac{1}{\boxed{}} = \boxed{}$$

⭐ **곱셈으로 나타내기**

$$6 \div 3 = 6의 \frac{1}{3} = 6 \times \frac{1}{3} \;\Rightarrow\; 2$$

$$3 \div 4 = 3의 \frac{1}{4} = 3 \times \frac{1}{4} \;\Rightarrow\; \frac{3}{4}$$

(자연수)÷(자연수)는 ■÷● = $\frac{■}{●}$ 이고, (자연수)×(단위분수)는 ■× $\frac{1}{●}$ = $\frac{■}{●}$ 이므로

■÷● = ■× $\frac{1}{●}$ = $\frac{■}{●}$ 로 나타낼 수 있습니다.

계산 결과가 같은 것을 찾아 ○표 하세요.

$1 \div 8$ — $8 \div 1$ 8×1 $1 \times \dfrac{8}{1}$ $1 \times \dfrac{1}{8}$

$5 \div 6$ — 6×5 $5 \times \dfrac{1}{6}$ $\dfrac{1}{5} \times 6$ $\dfrac{1}{5} \times \dfrac{1}{6}$

$8 \div 3$ — $8 \times \dfrac{1}{3}$ $\dfrac{1}{8} \times 3$ $1 \times \dfrac{3}{8}$ 3×8

$9 \div 10$ — $10 \div 9$ $\dfrac{1}{9} \times \dfrac{1}{10}$ $10 \times \dfrac{1}{9}$ $\dfrac{1}{10} \times 9$

$18 \div 7$ — $9 \times \dfrac{1}{7}$ $7 \times \dfrac{1}{18}$ $1 \times \dfrac{18}{7}$ $1 \times \dfrac{7}{18}$

자연수의 나눗셈 (2)

계산 결과를 찾아 이어 보세요.

$1 \div 3$ ·

· $\dfrac{3}{7}$

$8 \div 9$ ·

· $1\dfrac{1}{8}$

$3 \div 7$ ·

· $\dfrac{5}{7}$

$9 \div 4$ ·

· $\dfrac{8}{9}$

$5 \div 7$ ·

· $\dfrac{1}{3}$

$9 \div 8$ ·

· $2\dfrac{1}{4}$

$6 \div 11$ ·

· $1\dfrac{5}{6}$

$25 \div 4$ ·

· $\dfrac{4}{25}$

$11 \div 6$ ·

· $\dfrac{9}{11}$

$15 \div 4$ ·

· $3\dfrac{3}{4}$

$9 \div 11$ ·

· $\dfrac{6}{11}$

$4 \div 25$ ·

· $6\dfrac{1}{4}$

나눗셈의 몫을 분수로 나타내어 보세요.

÷

1	6	$\frac{1}{6}$
3	7	
	$\frac{6}{7}$	

÷

2	5	
7	9	

÷

15	8	
4	3	

÷

17	6	
9	5	

÷

5	7	
3	10	

÷

7	6	
19	11	

몫이 1보다 작은 것에 모두 ○표 하세요.

$5 \div 1$	$8 \div 7$
$7 \div 8$	$1 \div 5$

$3 \div 2$	$5 \div 6$
$2 \div 3$	$9 \div 8$

$10 \div 11$	$10 \div 10$
$10 \div 9$	$10 \div 21$

$6 \div 5$	$3 \div 5$
$11 \div 5$	$4 \div 5$

$8 \div 9$	$8 \div 3$
$8 \div 13$	$8 \div 7$

$16 \div 15$	$14 \div 15$
$1 \div 15$	$19 \div 15$

■ 조건에 맞는 것에 모두 ○표 하세요.

$$2 \div 5 \qquad 5 \div 4 \qquad 9 \div 5 \qquad 1 \div 9$$

$$8 \div 3 \qquad 8 \div 7 \qquad 10 \div 3 \qquad 10 \div 7$$

$$9 \div 13 \qquad 14 \div 13 \qquad 19 \div 9 \qquad 13 \div 9$$

$$9 \div 2 \qquad 8 \div 4 \qquad 5 \div 2 \qquad 11 \div 4$$

몫이 4보다 크고
5보다 작은 식

$$14 \div 3 \qquad 21 \div 5 \qquad 19 \div 6 \qquad 17 \div 3$$

🔹 나눗셈의 몫을 분수로 나타내어 보세요.

| 5 | 6 |

큰 수를 작은 수로 나눈 몫　(　　　　　　)
6÷5

작은 수를 큰 수로 나눈 몫　(　　　　　　)
5÷6

| 9 | 7 |

큰 수를 작은 수로 나눈 몫　(　　　　　　)

작은 수를 큰 수로 나눈 몫　(　　　　　　)

| 13 | 8 |

큰 수를 작은 수로 나눈 몫　(　　　　　　)

작은 수를 큰 수로 나눈 몫　(　　　　　　)

| 4 | 15 |

큰 수를 작은 수로 나눈 몫　(　　　　　　)

작은 수를 큰 수로 나눈 몫　(　　　　　　)

| 25 | 3 |

큰 수를 작은 수로 나눈 몫　(　　　　　　)

작은 수를 큰 수로 나눈 몫　(　　　　　　)

■ 수 카드 중 2장을 빈칸에 써넣어 몫이 가장 작은 식을 만들고, 몫을 분수로 나타내어 보세요.

| 1 | 2 | 3 | 4 |

$\square \div \square = \underline{\qquad}$

가장 작은 몫은 1보다 작습니다.

| 8 | 7 | 6 | 5 |

$\square \div \square = \underline{\qquad}$

| 5 | 9 | 1 | 4 |

$\square \div \square = \underline{\qquad}$

| 7 | 5 | 9 | 2 |

$\square \div \square = \underline{\qquad}$

| 3 | 5 | 7 | 6 |

$\square \div \square = \underline{\qquad}$

| 8 | 4 | 3 | 6 |

$\square \div \square = \underline{\qquad}$

| 5 | 3 | 7 | 1 |

$\square \div \square = \underline{\qquad}$

| 9 | 8 | 5 | 4 |

$\square \div \square = \underline{\qquad}$

🪨 나눗셈식으로 나타내고, 답을 구해 보세요. (답은 분수로 나타냅니다.)

케이크 4개를 만드는 데 밀가루 1kg이 필요합니다. 케이크 1개를 만드는 데 필요한 밀가루는 몇 kg일까요?

식 _____   답 _____ kg

우유 2L를 9명이 남김없이 똑같이 나누어 마셨습니다. 한 명이 마신 우유는 몇 L일까요?

식 _____   답 _____ L

끈 5m를 3명이 남김없이 똑같이 나누어 가졌습니다. 한 명이 가진 끈은 몇 m일까요?

식 _____   답 _____ m

빵 12개를 남김없이 7명에게 똑같이 나누어 주려고 합니다. 한 명이 가지게 되는 빵은 몇 개일까요?

식 _____   답 _____ 개

📘 나눗셈식으로 나타내고, 답을 구해 보세요. (답은 분수로 나타냅니다.)

길이가 10m인 통나무를 9도막으로 똑같이 잘랐습니다. 한 도막의 길이는 몇 m일까요?

식 _____ 답 _____ m

양동이에 물 5L가 들어 있습니다. 물을 남김없이 화분 16개에 똑같이 나누어 주었습니다. 화분 하나에 준 물은 몇 L일까요?

식 _____ 답 _____ L

길이가 14cm인 철사를 남김없이 사용하여 정삼각형을 만들었습니다. 정삼각형 한 변의 길이는 몇 cm일까요?

식 _____ 답 _____ cm

넓이가 27m²인 텃밭이 있습니다. 텃밭을 똑같이 네 부분으로 나눈 다음, 한 부분에 감자를 심었습니다. 감자를 심은 텃밭의 넓이는 몇 m²일까요?

식 _____ 답 _____ m²

🔹 나눗셈식으로 나타내고, 답을 구해 보세요. (답은 분수로 나타냅니다.)

넓이가 21cm²인 정사각형을 똑같이 4부분으로 나누었습니다. 색칠한 부분의 넓이는 몇 cm²일까요?

식 _____

답 _____ cm²

넓이가 16cm²인 직사각형을 똑같이 5부분으로 나누었습니다. 색칠한 부분의 넓이는 몇 cm²일까요?

식 _____

답 _____ cm²

독일 국기의 넓이가 2m²라면 노란색 부분의 넓이는 몇 m²일까요?

식 _____

답 _____ m²

물음에 답하세요. (답은 분수로 나타냅니다.)

한 봉지에 $\frac{1}{4}$kg씩 들어 있는 설탕이 4봉지 있습니다. 이 설탕을 남김없이 사용하여 잼 3kg을 만들었습니다. 잼 1kg을 만드는 데 사용한 설탕은 몇 kg일까요?

설탕이 모두 몇 kg 있는지 구합니다.

(   )

한 병에 $\frac{3}{2}$L씩 들어 있는 물이 2병 있습니다. 이 물을 남김없이 5명이 똑같이 나누어 마신다면 한 명이 마시는 물은 몇 L일까요?

(   )

길이가 $\frac{5}{3}$m인 끈 6개를 겹치는 부분 없이 이어 붙인 다음, 똑같이 7도막으로 잘랐습니다. 한 도막의 길이는 몇 m일까요?

(   )

한 병에 $\frac{1}{2}$L씩 들어 있는 주스가 10병 있습니다. 이 주스를 14일 동안 남김없이 똑같이 나누어 마신다면 하루에 몇 L씩 마실 수 있을까요?

(   )

■ 빈칸에 알맞은 수를 써넣고, 알맞은 말에 ○표 하세요.

> 물 1L는 컵 3개에, 주스 2L는 컵 5개에 남김없이 똑같이 나누어 담았습니다. 모든 컵의 모양과 크기가 같다면 한 컵에 담긴 물과 주스 중 어느 것이 더 많을까요?

물은 한 컵에 $1 \div 3 = \dfrac{\square}{\square}$ (L), 주스는 한 컵에 $\square \div \square = \dfrac{\square}{\square}$ (L)이므로

한 컵에 들어 있는 물과 주스의 양 중 (물 , 주스)이/가 더 많습니다.

> 넓이가 11m²인 가 화단에는 장미, 진달래를 똑같은 넓이로 심고, 넓이가 19m²인 나 화단에는 장미, 수선화, 튤립, 국화를 똑같은 넓이로 심었습니다. 장미를 심은 화단이 더 넓은 것은 어느 화단일까요?

가 화단에는 $\square \div \square = \dfrac{\square}{\square}$ (m²), 나 화단에는 $19 \div 4 = \dfrac{\square}{\square}$ (m²)만큼

장미를 심었으므로 장미를 심은 화단이 더 넓은 것은 (가 , 나) 화단입니다.

4주차 나눗셈의 관계

▨ 빈칸에 알맞은 수를 써넣으세요.

$300 \div 5 = $ ☐

$\frac{1}{10}$배 ↓ $\frac{1}{10}$배 ↓

$30 \div 5 = $ ☐

나누어지는 수가 작아지면 몫도 작아집니다.

$600 \div 3 = $ ☐

$\frac{1}{100}$배 ↓ $\frac{1}{100}$배 ↓

$6 \div 3 = $ ☐

$40 \div 5 = $ ☐

$\frac{1}{10}$배 ↓   ☐ 배

$4 \div 5 = $ ☐

$90 \div 6 = $ ☐

$\frac{1}{100}$배 ↓   ☐ 배

$0.9 \div 6 = $ ☐

$288 \div 4 = $ ☐

☐ 배 ↓ $\frac{1}{10}$배 ↓

$28.8 \div 4 = $ ☐

$217 \div 7 = $ ☐

☐ 배 ↓ $\frac{1}{100}$배 ↓

$2.17 \div 7 = $ ☐

★ **나누어지는 수와 몫의 관계**

$240 \div 4 = 60$
$\frac{1}{10}$배 ↓ $\frac{1}{10}$배 ↓
$24 \div 4 = 6$

$240 \div 4 = 60$
$\frac{1}{100}$배 ↓ $\frac{1}{100}$배 ↓
$2.4 \div 4 = 0.6$

나누어지는 수가 $\frac{1}{10}$배(0.1배), $\frac{1}{100}$배(0.01배)가 되면 몫도 각각 $\frac{1}{10}$배(0.1배), $\frac{1}{100}$배(0.01배)가 됩니다.

빈칸에 알맞은 수를 써넣으세요.

70 × 6 = ⬚　➡　420 ÷ 6 = ⬚

7 × 6 = ⬚　➡　42 ÷ 6 = ⬚

400 × 2 = ⬚　➡　800 ÷ 2 = ⬚

4 × 2 = ⬚　➡　8 ÷ 2 = ⬚

25 × 4 = ⬚　➡　⬚ ÷ 4 = 25

2.5 × 4 = ⬚　➡　⬚ ÷ 4 = 2.5

30 × 9 = ⬚　➡　⬚ ÷ 9 = 30

0.3 × 9 = ⬚　➡　⬚ ÷ 9 = 0.3

📖 빈칸에 알맞은 수를 써넣으세요.

$160 \div 80 =$ ☐

↓ $\frac{1}{10}$배   ↓ 10배

$160 \div 8 =$ ☐

나누는 수가 작아지면 몫은 커집니다.

$800 \div 200 =$ ☐

↓ $\frac{1}{100}$배   ↓ 100배

$800 \div 2 =$ ☐

$64 \div 4 =$ ☐

↓ $\frac{1}{10}$배   ☐ 배

$64 \div 0.4 =$ ☐

$100 \div 50 =$ ☐

↓ $\frac{1}{100}$배   ☐ 배

$100 \div 0.5 =$ ☐

$90 \div 3 =$ ☐

☐ 배   ↓ 10배

$90 \div 0.3 =$ ☐

$48 \div 6 =$ ☐

☐ 배   ↓ 100배

$48 \div 0.06 =$ ☐

★ **나누는 수와 몫의 관계**

$120 \div 40 = 3$

↓ $\frac{1}{10}$배   ↓ 10배

$120 \div 4 = 30$

$120 \div 40 = 3$

↓ $\frac{1}{100}$배   ↓ 100배

$120 \div 0.4 = 300$

나누는 수가 $\frac{1}{10}$배(0.1배), $\frac{1}{100}$배(0.01배)

가 되면 몫은 각각 10배, 100배가 됩니다.

■ 빈칸에 알맞은 수를 써넣으세요.

$7 \times 80 = \boxed{}$ ➡ $560 \div 80 = \boxed{}$

$70 \times 8 = \boxed{}$ ➡ $560 \div 8 = \boxed{}$

$5 \times 6 = \boxed{}$ ➡ $30 \div 6 = \boxed{}$

$500 \times 0.06 = \boxed{}$ ➡ $30 \div 0.06 = \boxed{}$

$15 \times 5 = \boxed{}$ ➡ $75 \div \boxed{} = 15$

$150 \times 0.5 = \boxed{}$ ➡ $75 \div \boxed{} = 150$

$4 \times 90 = \boxed{}$ ➡ $360 \div \boxed{} = 4$

$400 \times 0.9 = \boxed{}$ ➡ $360 \div \boxed{} = 400$

🟦 빈칸에 알맞은 수를 써넣으세요.

$$100 \div 20 = \boxed{}$$

$\frac{1}{10}$배 $\quad$ $\frac{1}{10}$배

$$10 \div 2 = \boxed{}$$

$$600 \div 200 = \boxed{}$$

$\frac{1}{100}$배 $\quad$ $\frac{1}{100}$배

$$6 \div 2 = \boxed{}$$

$$70 \div 7 = \boxed{}$$

$\frac{1}{10}$배 $\quad$ $\boxed{}$배

$$7 \div 0.7 = \boxed{}$$

$$500 \div 10 = \boxed{}$$

$\frac{1}{100}$배 $\quad$ $\boxed{}$배

$$5 \div 0.1 = \boxed{}$$

$$320 \div 8 = \boxed{}$$

$\boxed{}$배 $\quad$ $\frac{1}{10}$배

$$32 \div 0.8 = \boxed{}$$

$$900 \div 25 = \boxed{}$$

$\boxed{}$배 $\quad$ $\frac{1}{100}$배

$$9 \div 0.25 = \boxed{}$$

★ **나누어지는 수와 나누는 수의 관계**

$$200 \div 40 = 5$$
$\frac{1}{10}$배 $\quad$ $\frac{1}{10}$배
$$20 \div 4 = 5$$

$$200 \div 40 = 5$$
$\frac{1}{100}$배 $\quad$ $\frac{1}{100}$배
$$2 \div 0.4 = 5$$

나누어지는 수와 나누는 수에 같은 수를 곱하면 몫은 변하지 않습니다.

📖 빈칸에 알맞은 수를 써넣으세요.

$4 \times 30 = \boxed{}$ ➡ $120 \div 30 = \boxed{}$

$4 \times 3 = \boxed{}$ ➡ $12 \div 3 = \boxed{}$

$16 \times 50 = \boxed{}$ ➡ $800 \div 50 = \boxed{}$

$16 \times 0.5 = \boxed{}$ ➡ $8 \div 0.5 = \boxed{}$

$420 \times 2 = \boxed{}$ ➡ $840 \div \boxed{} = 420$

$420 \times 0.2 = \boxed{}$ ➡ $84 \div \boxed{} = 420$

$40 \times 15 = \boxed{}$ ➡ $600 \div \boxed{} = 40$

$40 \times 0.15 = \boxed{}$ ➡ $6 \div \boxed{} = 40$

자연수를 이용한 나눗셈

📘 빈칸에 알맞은 수를 써넣으세요.

$260 \div 2 = \boxed{}$

$26 \div 2 = \boxed{}$

$2.6 \div 2 = \boxed{}$

$40 \div 5 = \boxed{}$

$4 \div 5 = \boxed{}$

$0.4 \div 5 = \boxed{}$

$360 \div 40 = \boxed{}$

$360 \div 4 = \boxed{}$

$360 \div 0.4 = \boxed{}$

$9 \div 3 = \boxed{}$

$9 \div 0.3 = \boxed{}$

$9 \div 0.03 = \boxed{}$

$500 \div 20 = \boxed{}$

$50 \div 2 = \boxed{}$

$5 \div 0.2 = \boxed{}$

$800 \div 160 = \boxed{}$

$80 \div 16 = \boxed{}$

$8 \div 1.6 = \boxed{}$

📖 나눗셈의 몫을 찾아 ○표 하세요.

$50 \div 4$
12.5
125
1.25

500÷4=125

$9 \div 6$
0.15
15
1.5

$4.3 \div 5$
8.6
0.86
86

$84 \div 0.4$
2.1
210
0.21

$150 \div 0.3$
500
0.5
5

$28 \div 0.07$
0.04
40
400

$40 \div 2.5$
16
1.6
160

$17 \div 0.5$
3.4
340
34

$11 \div 2.2$
0.5
5
50

📘 빈칸에 알맞은 수를 써넣으세요.

0				300 (mm)

0				30 (cm)

300mm = 30cm

300mm를 4등분한 것 중의 하나는 ☐ mm입니다. ➡ $300 \div 4 =$ ☐

30cm를 4등분한 것 중의 하나는 ☐ cm입니다. ➡ $30 \div 4 =$ ☐

0				600 (cm)

0				6 (m)

600cm를 5등분한 것 중의 하나는 ☐ cm입니다. ➡ $600 \div 5 =$ ☐

6m를 5등분한 것 중의 하나는 ☐ m입니다. ➡ $6 \div 5 =$ ☐

0			276 (mm)

0			27.6 (cm)

276mm를 3등분한 것 중의 하나는 ☐ mm입니다. ➡ $276 \div 3 =$ ☐

27.6cm를 3등분한 것 중의 하나는 ☐ cm입니다. ➡ $27.6 \div 3 =$ ☐

■ 빈칸에 알맞은 수를 써넣으세요.

길이가 72cm인 끈을 똑같이 5등분으로 자르려고 합니다.

1cm=10mm이므로 72cm=[   ]mm입니다.

720÷5=[   ], 한 도막의 길이는 [   ]mm이므로 [   ]cm입니다.

길이가 33.6cm인 나무 막대를 똑같이 2도막으로 자르려고 합니다.

1cm=10mm이므로 33.6cm=[   ]mm입니다.

336÷2=[   ], 한 도막의 길이는 [   ]mm이므로 [   ]cm입니다.

길이가 4m인 철사를 똑같이 10도막으로 자르려고 합니다.

1m=[   ]cm이므로 4m=[   ]cm입니다.

400÷10=[   ], 한 도막의 길이는 [   ]cm이므로 [   ]m입니다.

현우는 길이가 **200**mm인 가래떡을 똑같이 **8**조각으로 잘랐습니다. 준호도 같은 방법으로 길이가 **20**cm인 가래떡을 똑같이 **8**조각으로 잘랐습니다. 준호가 자른 가래떡 **1**개의 길이는 몇 cm일까요?

(   )

지은이는 리본 **4**개를 만들려고 끈 **420**cm를 똑같이 **4**등분했습니다. 다희도 같은 방법으로 끈 **4.2**m를 똑같이 **4**등분했습니다. 다희가 리본 **1**개를 만들기 위해 자른 끈은 몇 m일까요?

(   )

길이가 **81.5**cm인 철사를 **5**명에게 남김없이 똑같이 나누어 주려고 합니다. 한 명에게 줄 수 있는 철사는 몇 cm일까요?

(   )

책상을 만들기 위해 길이가 **3.96**m인 나무 판자를 똑같이 **3**도막으로 잘랐습니다. 자른 한 도막의 길이는 몇 m일까요?

(   )

📘 빈칸에 알맞은 수를 써넣어 분수를 소수로 나타내어 보세요.

$\dfrac{1}{2} = \dfrac{\boxed{}}{10} = \boxed{}$

$\dfrac{5}{4} = \dfrac{\boxed{}}{100} = \boxed{}$

$\dfrac{37}{50} = \dfrac{\boxed{}}{\boxed{}} = \boxed{}$

$\dfrac{31}{20} = \dfrac{\boxed{}}{\boxed{}} = \boxed{}$

$\dfrac{6}{8} = \dfrac{\boxed{}}{4} = \dfrac{\boxed{}}{100} = \boxed{}$

$\dfrac{24}{30} = \dfrac{\boxed{}}{5} = \dfrac{\boxed{}}{10} = \boxed{}$

$\dfrac{9}{18} = \dfrac{1}{\boxed{}} = \dfrac{\boxed{}}{\boxed{}} = \boxed{}$

$\dfrac{86}{40} = \dfrac{43}{\boxed{}} = \dfrac{\boxed{}}{\boxed{}} = \boxed{}$

> ⭐ **분수를 소수로 나타내기**
>
> 분자와 분모에 같은 수를 곱하거나 나누어 분모를 10, 100으로 바꾼 다음 소수로 나타냅니다.
>
> $\dfrac{3}{5} = \dfrac{3 \times 2}{5 \times 2} = \dfrac{6}{10} = 0.6$
>
> $\dfrac{3}{15} = \dfrac{1}{5} = \dfrac{2}{10} = 0.2$
>
> $\dfrac{26}{25} = \dfrac{26 \times 4}{25 \times 4} = \dfrac{104}{100} = 1.04$
>
> $\dfrac{9}{12} = \dfrac{3}{4} = \dfrac{75}{100} = 0.75$
>
> 필요하면 약분을 한 다음 분모를 10, 100으로 만듭니다.

■ 관계 있는 것끼리 이어 보세요.

$\frac{35}{10}$ •　　　• 0.35

$\frac{35}{100}$ •　　　• 3.5

$\frac{35}{50}$ •　　　• 0.7

$\frac{17}{25}$ •　　　• 1.75

$\frac{17}{20}$ •　　　• 0.85

$\frac{7}{4}$ •　　　• 0.68

$\frac{6}{15}$ •　　　• 0.8

$\frac{24}{40}$ •　　　• 0.4

$\frac{28}{35}$ •　　　• 0.6

$\frac{18}{8}$ •　　　• 2.75

$\frac{44}{16}$ •　　　• 3.25

$\frac{78}{24}$ •　　　• 2.25

22강 분수로 계산하기

몫을 분수로 나타낸 다음, 소수로 나타내어 보세요.

$1 \div 4 = \dfrac{\boxed{}}{4} = \dfrac{\boxed{}}{100} = \boxed{}$　■÷●=$\dfrac{■}{●}$입니다.

$25 \div 2 = \dfrac{\boxed{}}{2} = \dfrac{\boxed{}}{10} = \boxed{}$

$3 \div 5 = \dfrac{\boxed{}}{5} = \dfrac{\boxed{}}{\boxed{}} = \boxed{}$

$9 \div 20 = \dfrac{9}{\boxed{}} = \dfrac{\boxed{}}{\boxed{}} = \boxed{}$

$54 \div 45 = \dfrac{\boxed{}}{45} = \dfrac{\boxed{}}{5} = \dfrac{\boxed{}}{\boxed{}} = \boxed{}$

$35 \div 28 = \dfrac{35}{\boxed{}} = \dfrac{5}{\boxed{}} = \dfrac{\boxed{}}{\boxed{}} = \boxed{}$

■ 나눗셈의 몫을 소수로 나타내어 보세요.

$9 \div 2$　　　　　　　　　　　$11 \div 5$

$3 \div 10$　　　　　　　　　　　$3 \div 4$

$12 \div 25$　　　　　　　　　　$23 \div 50$

$31 \div 20$　　　　　　　　　　$15 \div 4$

$15 \div 6$　　　　　　　　　　　$21 \div 15$

$22 \div 8$　　　　　　　　　　　$36 \div 24$

$72 \div 40$　　　　　　　　　　$81 \div 30$

빈칸에 알맞은 수를 써넣으세요.

$30 \div 2 =$ ☐

$\frac{1}{10}$배 $\frac{1}{10}$배

$3 \div 2 =$ ☐

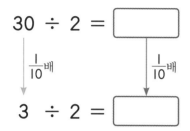

나누어지는 수가 $\frac{1}{10}$배 되면 몫도 $\frac{1}{10}$배가 됩니다.

$300 \div 4 =$ ☐

$\frac{1}{100}$배 $\frac{1}{100}$배

$3 \div 4 =$ ☐

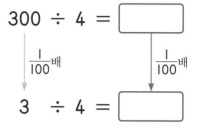

$270 \div 6 =$ ☐

$\frac{1}{10}$배   ☐ 배

$27 \div 6 =$ ☐

$400 \div 25 =$ ☐

$\frac{1}{100}$배   ☐ 배

$4 \div 25 =$ ☐

$20 \div 5 =$ ☐

$2 \div 5 =$ ☐

$200 \div 8 =$ ☐

$2 \div 8 =$ ☐

$30 \div 15 =$ ☐

$3 \div 15 =$ ☐

$900 \div 50 =$ ☐

$9 \div 50 =$ ☐

계산해 보세요.

$$
\begin{array}{r}
\boxed{2\ 5} \\
2\overline{)5\ 0} \\
\boxed{4} \\
\hline
\end{array}
\quad\Rightarrow\quad
\begin{array}{r}
\boxed{2.5} \\
2\overline{)5\ 0} \\
\hline
\end{array}
$$

$$
\begin{array}{r}
\boxed{} \\
25\overline{)6\ 0\ 0} \\
\hline
\end{array}
\quad\Rightarrow\quad
\begin{array}{r}
\boxed{} \\
25\overline{)6\ 0\ 0} \\
\hline
\end{array}
$$

$$
14\overline{)4\ 9\ 0} \quad\Rightarrow\quad 14\overline{)4\ 9}
$$

$$
4\overline{)2\ 1\ 0\ 0} \quad\Rightarrow\quad 4\overline{)2\ 1}
$$

★ 세로로 계산하기

$$
\begin{array}{r}
1\ 2 \\
5\overline{)6\ 0} \\
\underline{5} \\
1\ 0 \\
\underline{1\ 0} \\
0
\end{array}
\quad\Rightarrow\quad
\begin{array}{r}
1.2 \\
5\overline{)6\ 0} \\
\underline{5} \\
1\ 0 \\
\underline{1\ 0} \\
0
\end{array}
\qquad
\begin{array}{r}
2\ 5 \\
4\overline{)1\ 0\ 0} \\
\underline{8} \\
2\ 0 \\
\underline{2\ 0} \\
0
\end{array}
\quad\Rightarrow\quad
\begin{array}{r}
0.2\ 5 \\
4\overline{)1\ 0\ 0} \\
\underline{8} \\
2\ 0 \\
\underline{2\ 0} \\
0
\end{array}
$$

← 몫의 소수점은 자연수 바로 뒤에서 올려서 찍습니다.

└ 소수점 아래에서 내릴 수가 없는 경우 0을 내려서 계산합니다.

📘 나눗셈의 몫을 소수로 나타내어 보세요.

| 2 | 5 |

큰 수를 작은 수로 나눈 몫 (　　　　　　　)

작은 수를 큰 수로 나눈 몫 (　　　　　　　)

| 25 | 4 |

큰 수를 작은 수로 나눈 몫 (　　　　　　　)

작은 수를 큰 수로 나눈 몫 (　　　　　　　)

| 6 | 75 |

큰 수를 작은 수로 나눈 몫 (　　　　　　　)

작은 수를 큰 수로 나눈 몫 (　　　　　　　)

| 20 | 25 |

큰 수를 작은 수로 나눈 몫 (　　　　　　　)

작은 수를 큰 수로 나눈 몫 (　　　　　　　)

| 16 | 40 |

큰 수를 작은 수로 나눈 몫 (　　　　　　　)

작은 수를 큰 수로 나눈 몫 (　　　　　　　)

📘 나눗셈의 몫을 소수로 나타내어 보세요.

÷ →

÷	1	4	
	5	10	

÷ →

÷	32	25	
	50	20	

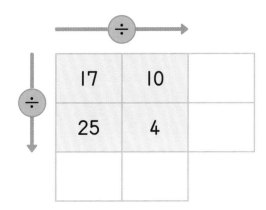

÷ →

÷	17	10	
	25	4	

÷ →

÷	21	42	
	6	15	

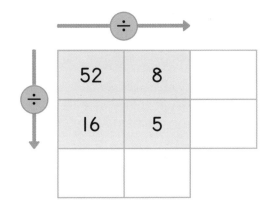

÷ →

÷	52	8	
	16	5	

÷ →

÷	36	15	
	40	25	

📖 물음에 답하세요. (답은 소수로 나타냅니다.)

정사각형의 둘레가 30cm입니다. 정사각형의 한 변의 길이는 몇 cm일까요?

식 _____

답 _____ cm

정육각형의 둘레가 51cm입니다. 정육각형의 한 변의 길이는 몇 cm일까요?

식 _____

답 _____ cm

넓이가 46cm²인 직사각형을 똑같이 8등분했습니다. 색칠한 부분의 넓이는 몇 cm² 일까요?

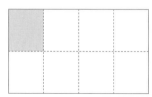

식 _____

답 _____ cm²

📖 물음에 답하세요. (답은 소수로 나타냅니다.)

사과 13개를 4명이 똑같이 나누어 가지려고 합니다. 한 명이 가질 수 있는 사과는 몇 개일까요?

식 _____   답 _____ 개

5천 원으로 철사 4m를 살 수 있습니다. 천 원으로 살 수 있는 철사는 몇 m일까요?

식 _____   답 _____ m

무게가 모두 같은 귤 40개의 무게가 6kg입니다. 귤 1개는 몇 kg일까요?

식 _____   답 _____ kg

흙 27kg을 화분 12개에 똑같이 나누어 담으려고 합니다. 화분 한 개에 담는 흙은 몇 kg일까요?

식 _____   답 _____ kg

둘레가 56cm인 정오각형이 있습니다. 정오각형의 한 변의 길이는 몇 cm일까요?

식 _____ 답 _____ cm

자동차가 일정한 빠르기로 1시간에 81km를 갔습니다. 이 자동차가 10분 동안 간 거리는 몇 km일까요?

식 _____ 답 _____ km

오징어 한 축은 20마리입니다. 오징어 한 축의 무게가 5kg이라면 오징어 한 마리 무게의 평균은 몇 kg일까요?

식 _____ 답 _____ kg

연성이네 집에서 9월 한 달 동안 소비한 쌀이 18kg입니다. 연성이네 집에서 하루에 소비한 쌀의 평균은 몇 kg일까요?

식 _____ 답 _____ kg

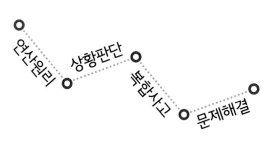

하루 한 장 75일
집중 완성

교과
연산

정답

초6

F0

<수특강> 자연수의 나눗셈

HERO

정답

정답

01강 여러 개를 똑같이 나누기

월 일

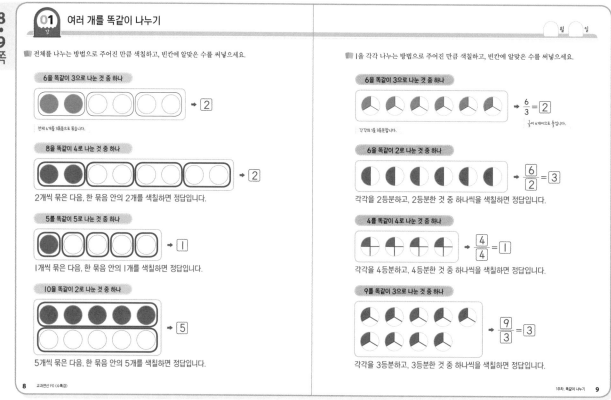

전체를 나누는 방법으로 주어진 만큼 색칠하고, 빈칸에 알맞은 수를 써넣으세요.

6을 똑같이 3으로 나눈 것 중 하나
→ 2

전체 6개를 3묶음으로 묶습니다.

8을 똑같이 4로 나눈 것 중 하나
→ 2

2개씩 묶은 다음, 한 묶음 안의 2개를 색칠하면 정답입니다.

5를 똑같이 5로 나눈 것 중 하나
→ 1

1개씩 묶은 다음, 한 묶음 안의 1개를 색칠하면 정답입니다.

10을 똑같이 2로 나눈 것 중 하나
→ 5

5개씩 묶은 다음, 한 묶음 안의 5개를 색칠하면 정답입니다.

1을 각각 나누는 방법으로 주어진 만큼 색칠하고, 빈칸에 알맞은 수를 써넣으세요.

6을 똑같이 3으로 나눈 것 중 하나
→ $\frac{6}{3}$ = 2

각각의 1을 3등분합니다.

$\frac{1}{3}$이 6배이므로 2입니다.

6을 똑같이 2로 나눈 것 중 하나
→ $\frac{6}{2}$ = 3

각각을 2등분하고, 2등분한 것 중 하나씩을 색칠하면 정답입니다.

4를 똑같이 4로 나눈 것 중 하나
→ $\frac{4}{4}$ = 1

각각을 4등분하고, 4등분한 것 중 하나씩을 색칠하면 정답입니다.

9를 똑같이 3으로 나눈 것 중 하나
→ $\frac{9}{3}$ = 3

각각을 3등분하고, 3등분한 것 중 하나씩을 색칠하면 정답입니다.

02강 남김없이 나누기 (1)

월 일

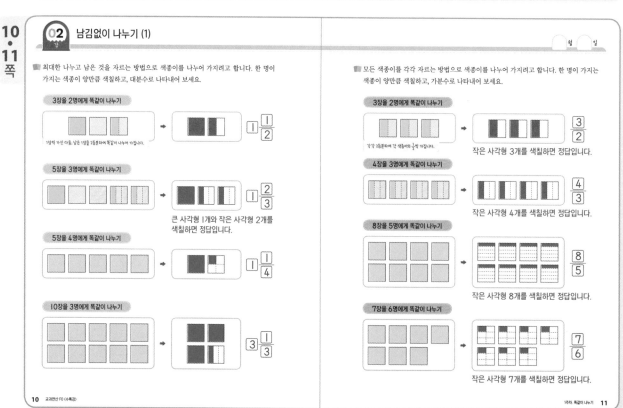

최대한 나누고 남은 것을 자르는 방법으로 색종이를 나누어 가지려고 합니다. 한 명이 가지는 색종이 양만큼 색칠하고, 대분수로 나타내어 보세요.

3장을 2명에게 똑같이 나누기
→ 1 $\frac{1}{2}$

1장씩 가진 다음, 남은 1장을 2등분하여 똑같이 나누어 가집니다.

5장을 3명에게 똑같이 나누기
→ 1 $\frac{2}{3}$

큰 사각형 1개와 작은 사각형 2개를 색칠하면 정답입니다.

5장을 4명에게 똑같이 나누기
→ 1 $\frac{1}{4}$

10장을 3명에게 똑같이 나누기
→ 3 $\frac{1}{3}$

모든 색종이를 각각 자르는 방법으로 색종이를 나누어 가지려고 합니다. 한 명이 가지는 색종이 양만큼 색칠하고, 가분수로 나타내어 보세요.

3장을 2명에게 똑같이 나누기
→ $\frac{3}{2}$

각각 2등분하여 각 색칠한의 눈적 가집니다.

작은 사각형 3개를 색칠하면 정답입니다.

4장을 3명에게 똑같이 나누기
→ $\frac{4}{3}$

작은 사각형 4개를 색칠하면 정답입니다.

8장을 5명에게 똑같이 나누기
→ $\frac{8}{5}$

작은 사각형 8개를 색칠하면 정답입니다.

7장을 6명에게 똑같이 나누기
→ $\frac{7}{6}$

작은 사각형 7개를 색칠하면 정답입니다.

03강 남김없이 나누기 (2)

📋 한 명이 가지는 색종이 양만큼 색칠하고, 분수로 나타내어 보세요.

📋 한 명이 가지는 색종이 양만큼 색칠하고, 분수로 나타내어 보세요.

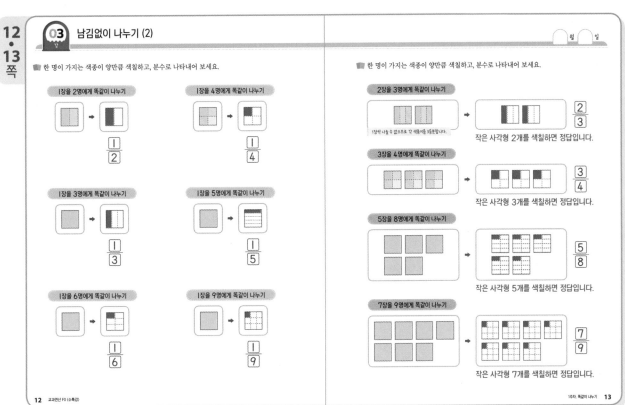

04강 1을 이용하여 나누기

📋 빈칸에 알맞은 수를 써넣으세요.

📋 빈칸에 알맞은 수를 써넣으세요.

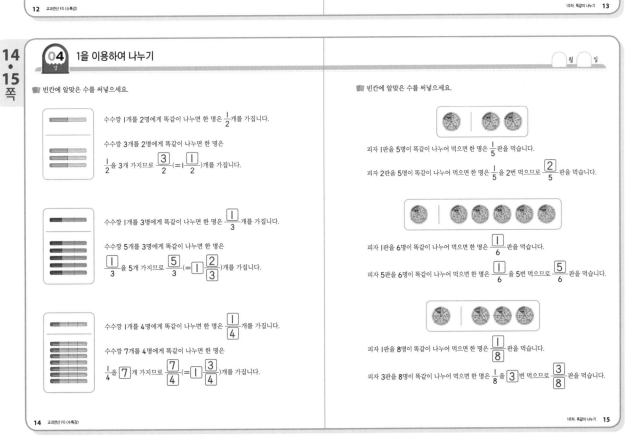

16 · 17 쪽

 05 이야기하기

월 일

■ 물을 남김없이 똑같이 나누어 담습니다. 각 병에 담기는 물의 양만큼 색칠해 보세요.

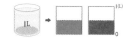 1L를 2병에 나누어 담기

1L를 5병에 나누어 담기

3L를 4병에 나누어 담기

1L를 4병에 나누어 담는 것을 3번 합니다.

2L를 5병에 나누어 담기

16 교과연산 F0 〈수특강〉

■ 물음에 답하세요.

물이 1L 있습니다. 물을 남김없이 컵 3개에 똑같이 나누어 담습니다. 컵 하나에 담기는 물은 몇 L인지 분수로 나타내어 보세요.

($\dfrac{1}{3}$)L

사과 9개를 4명이 남김없이 똑같이 나누어 먹으려고 합니다. 한 명은 사과 몇 개를 먹는지 분수로 나타내어 보세요.

($2\dfrac{1}{4}$)개

또는 $\dfrac{9}{4}$

끈 4m를 7명이 남김없이 똑같이 나누어 가집니다. 한 명은 끈을 몇 m 가지는지 분수로 나타내어 보세요.

($\dfrac{4}{7}$)m

1주차 똑같이 나누기 **17**

18 쪽

■ 물음에 답하세요.

연지가 케이크 1개를 4일 동안 매일 똑같은 양만큼 먹어서 남김없이 모두 먹으려고 합니다. 하루에 먹는 케이크는 몇 개인지 분수로 나타내어 보세요.

($\dfrac{1}{4}$)개

리본끈 6m를 5명이 남김없이 똑같이 나누어 가지려고 합니다. 한 명이 가지는 리본끈은 몇 m인지 분수로 나타내어 보세요.

($1\dfrac{1}{5}$)m

또는 $\dfrac{6}{5}$

넓이가 8m²인 화단이 있습니다. 화단 전체를 넓이가 똑같도록 3부분으로 나누면 한 부분은 몇 m²인지 분수로 나타내어 보세요.

($2\dfrac{2}{3}$)m²

또는 $\dfrac{8}{3}$

우유 3L를 5명이 남김없이 똑같이 나누어 마신다면 한 명은 우유를 몇 L 마시는지 분수로 나타내어 보세요.

($\dfrac{3}{5}$)L

18 교과연산 F0 〈수특강〉

06 몫이 1보다 작은 나눗셈

🖐 그림을 보고 몫을 구해 보세요.

🖐 나눗셈을 그림으로 나타내고, 몫을 구해 보세요.

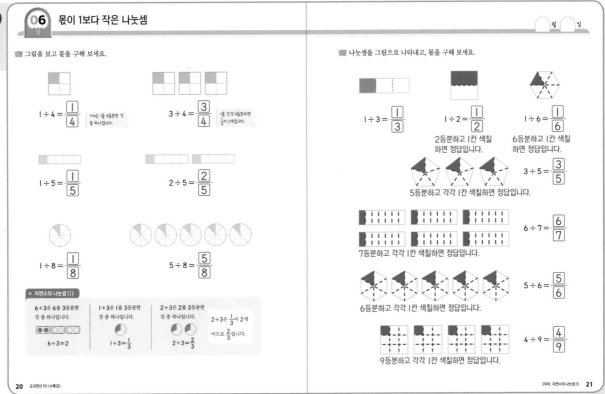

07 1을 이용한 나눗셈

🖐 1÷(자연수)를 이용하여 (자연수)÷(자연수)를 하는 과정입니다. 빈칸에 알맞은 수를 써넣으세요.

🖐 나눗셈의 몫을 분수로 나타내어 보세요.

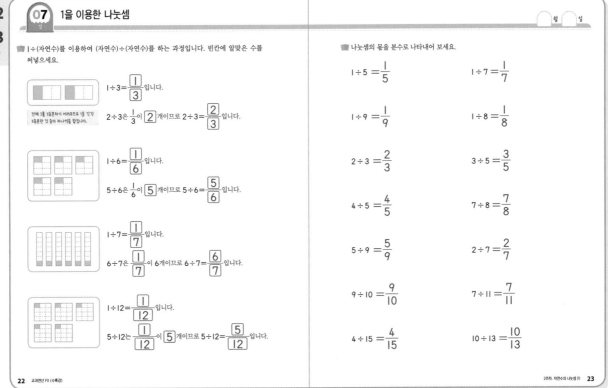

08 몫이 1보다 큰 나눗셈

월 일

■ 그림을 보고 몫을 구해 보세요.

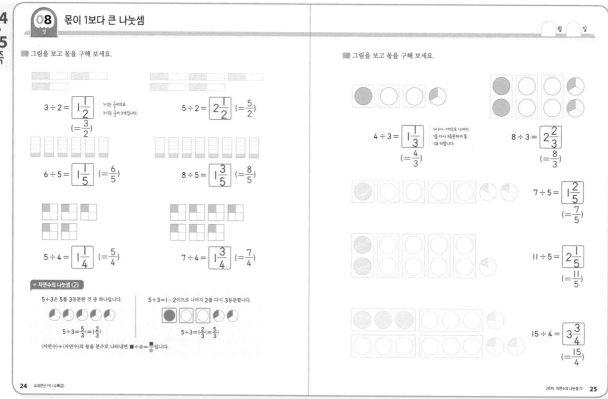

$3 \div 2 = \boxed{1\frac{1}{2}}$ 1½는 ½이므로 3½는 ½이 3개입니다.

$\left(= \frac{3}{2}\right)$

$5 \div 2 = \boxed{2\frac{1}{2}} \left(= \frac{5}{2}\right)$

$6 \div 5 = \boxed{1\frac{1}{5}} \left(= \frac{6}{5}\right)$

$8 \div 5 = \boxed{1\frac{3}{5}} \left(= \frac{8}{5}\right)$

$5 \div 4 = \boxed{1\frac{1}{4}} \left(= \frac{5}{4}\right)$

$7 \div 4 = \boxed{1\frac{3}{4}} \left(= \frac{7}{4}\right)$

★ 자연수의 나눗셈 (2)

$5 \div 3$은 5를 3등분한 것 중 하나입니다.

$5 \div 3 = \frac{5}{3} \left(= 1\frac{2}{3}\right)$

$5 \div 3 = 1 \cdots 2$이므로 나머지 2를 다시 3등분합니다.

$5 \div 3 = 1\frac{2}{3} \left(= \frac{5}{3}\right)$

(자연수)÷(자연수)의 몫을 분수로 나타내면 ■÷● = $\frac{■}{●}$입니다.

■ 그림을 보고 몫을 구해 보세요.

$4 \div 3 = \boxed{1\frac{1}{3}}$ 4÷3=1이므로 나머지 1을 다시 3등분하여 몫 1과 더합니다.

$\left(= \frac{4}{3}\right)$

$8 \div 3 = \boxed{2\frac{2}{3}}$

$\left(= \frac{8}{3}\right)$

$7 \div 5 = \boxed{1\frac{2}{5}}$

$\left(= \frac{7}{5}\right)$

$11 \div 5 = \boxed{2\frac{1}{5}}$

$\left(= \frac{11}{5}\right)$

$15 \div 4 = \boxed{3\frac{3}{4}}$

$\left(= \frac{15}{4}\right)$

09 나머지를 이용한 나눗셈

월 일

■ 자연수의 몫과 나머지를 이용하여 (자연수)÷(자연수)를 하는 과정입니다. 빈칸에 알맞은 수를 써넣으세요.

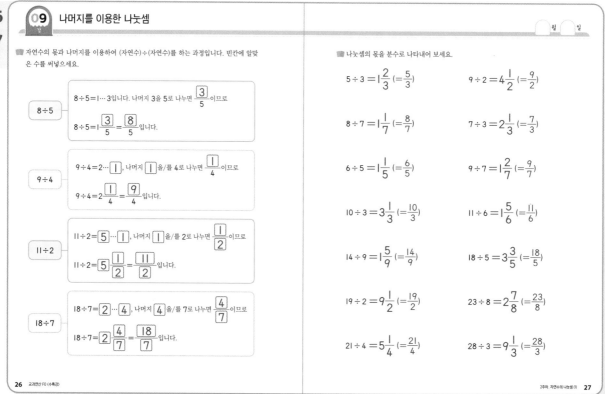

$8 \div 5$
$8 \div 5 = 1 \cdots 3$입니다. 나머지 3을 5로 나누면 $\boxed{\frac{3}{5}}$이므로

$8 \div 5 = 1\boxed{\frac{3}{5}} = \boxed{\frac{8}{5}}$입니다.

$9 \div 4$
$9 \div 4 = 2 \cdots \boxed{1}$, 나머지 $\boxed{1}$을/를 4로 나누면 $\boxed{\frac{1}{4}}$이므로

$9 \div 4 = 2\boxed{\frac{1}{4}} = \boxed{\frac{9}{4}}$입니다.

$11 \div 2$
$11 \div 2 = \boxed{5} \cdots \boxed{1}$, 나머지 $\boxed{1}$을/를 2로 나누면 $\boxed{\frac{1}{2}}$이므로

$11 \div 2 = \boxed{5}\boxed{\frac{1}{2}} = \boxed{\frac{11}{2}}$입니다.

$18 \div 7$
$18 \div 7 = \boxed{2} \cdots \boxed{4}$, 나머지 $\boxed{4}$을/를 7로 나누면 $\boxed{\frac{4}{7}}$이므로

$18 \div 7 = \boxed{2}\boxed{\frac{4}{7}} = \boxed{\frac{18}{7}}$입니다.

■ 나눗셈의 몫을 분수로 나타내어 보세요.

$5 \div 3 = 1\frac{2}{3} \left(= \frac{5}{3}\right)$

$9 \div 2 = 4\frac{1}{2} \left(= \frac{9}{2}\right)$

$8 \div 7 = 1\frac{1}{7} \left(= \frac{8}{7}\right)$

$7 \div 3 = 2\frac{1}{3} \left(= \frac{7}{3}\right)$

$6 \div 5 = 1\frac{1}{5} \left(= \frac{6}{5}\right)$

$9 \div 7 = 1\frac{2}{7} \left(= \frac{9}{7}\right)$

$10 \div 3 = 3\frac{1}{3} \left(= \frac{10}{3}\right)$

$11 \div 6 = 1\frac{5}{6} \left(= \frac{11}{6}\right)$

$14 \div 9 = 1\frac{5}{9} \left(= \frac{14}{9}\right)$

$18 \div 5 = 3\frac{3}{5} \left(= \frac{18}{5}\right)$

$19 \div 2 = 9\frac{1}{2} \left(= \frac{19}{2}\right)$

$23 \div 8 = 2\frac{7}{8} \left(= \frac{23}{8}\right)$

$21 \div 4 = 5\frac{1}{4} \left(= \frac{21}{4}\right)$

$28 \div 3 = 9\frac{1}{3} \left(= \frac{28}{3}\right)$

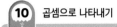

10 곱셈으로 나타내기

월 일

빈칸에 알맞은 수를 써넣으세요.

1÷3은 1을 똑같이 3으로 나눈 것 중 하나입니다.

1÷3은 1의 $\frac{1}{3}$과 같으므로 $\frac{1}{3}$입니다.

4÷5는 4를 똑같이 5로 나눈 것 중 하나입니다.

4÷5는 4의 $\frac{1}{5}$과 같으므로 $\frac{4}{5}$입니다.

7÷2는 7을 똑같이 2(으)로 나눈 것 중 하나입니다.

7÷2는 7의 $\frac{1}{2}$과 같으므로 $\frac{7}{2}=3\frac{1}{2}$입니다.

나눗셈식을 곱셈식으로 나타내고 계산해 보세요.

$1÷6=1×\frac{1}{6}=\frac{1}{6}$

$3÷5=3×\frac{1}{5}=\frac{3}{5}$

$2÷9=2×\frac{1}{9}=\frac{2}{9}$

$5÷7=5×\frac{1}{7}=\frac{5}{7}$

$7÷6=7×\frac{1}{6}=1\frac{1}{6}\left(=\frac{7}{6}\right)$

$19÷8=19×\frac{1}{8}=2\frac{3}{8}\left(=\frac{19}{8}\right)$

$9÷5=9×\frac{1}{5}=1\frac{4}{5}\left(=\frac{9}{5}\right)$

$20÷9=20×\frac{1}{9}=2\frac{2}{9}\left(=\frac{20}{9}\right)$

★ 곱셈으로 나타내기

$6÷3=6의 \frac{1}{3}=6×\frac{1}{3} \Rightarrow 2$

$3÷4=3의 \frac{1}{4}=3×\frac{1}{4} \Rightarrow \frac{3}{4}$

(자연수)÷(자연수)는 ■÷●=$\frac{■}{●}$이고, (자연수)×(단위분수)는 ■×$\frac{1}{●}=\frac{■}{●}$이므로

■÷●=■×$\frac{1}{●}=\frac{■}{●}$로 나타낼 수 있습니다.

계산 결과가 같은 것을 찾아 ○표 하세요.

1÷8   8÷1   8×1   1×$\frac{8}{1}$ (1×$\frac{1}{8}$)

5÷6   6×5   (5×$\frac{1}{6}$) $\frac{1}{5}$×6 $\frac{1}{5}$×$\frac{1}{6}$

8÷3   (8×$\frac{1}{3}$) $\frac{1}{8}$×3   1×$\frac{3}{8}$ 3×8

9÷10   10÷9 $\frac{1}{9}$×$\frac{1}{10}$ 10×$\frac{1}{9}$ ($\frac{1}{10}$×9)

$9÷10=9×\frac{1}{10}=\frac{1}{10}×9$

18÷7   9×$\frac{1}{7}$ 7×$\frac{1}{18}$ (1×$\frac{18}{7}$)   1×$\frac{7}{18}$

$18÷7=18×\frac{1}{7}=1×\frac{18}{7}$

32·33쪽

11 자연수의 나눗셈

월 일

■ 계산 결과를 찾아 이어 보세요.

$1 \div 3$ $\frac{3}{7}$ $8 \div 9$ $1\frac{1}{8}$

$3 \div 7$ $\frac{5}{7}$ $9 \div 4$ $\frac{8}{9}$

$5 \div 7$ $\frac{1}{3}$ $9 \div 8$ $2\frac{1}{4}$

$6 \div 11$ $1\frac{5}{6}$ $25 \div 4$ $\frac{4}{25}$

$11 \div 6$ $\frac{9}{11}$ $15 \div 4$ $3\frac{3}{4}$

$9 \div 11$ $\frac{6}{11}$ $4 \div 25$ $6\frac{1}{4}$

■ 나눗셈의 몫을 분수로 나타내어 보세요.

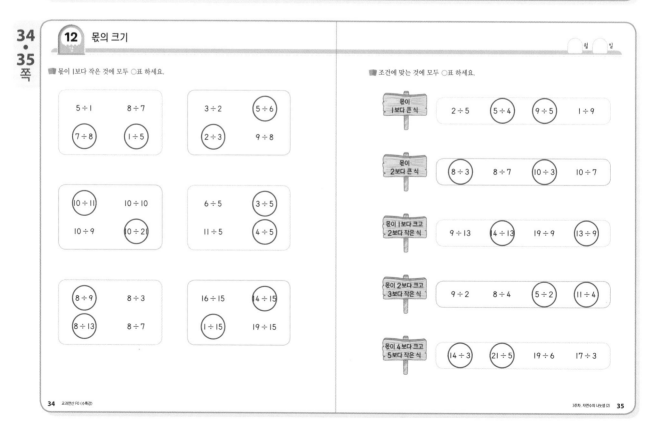

÷	1	6	$\frac{1}{6}$
	3	7	$\frac{3}{7}$
	$\frac{1}{3}$	$\frac{6}{7}$	

÷	2	5	$\frac{2}{5}$
	7	9	$\frac{7}{9}$
	$\frac{2}{7}$	$\frac{5}{9}$	

÷	15	8	$1\frac{7}{8}\,(=\frac{15}{8})$
	4	3	$1\frac{1}{3}\,(=\frac{4}{3})$
	$3\frac{3}{4}$	$2\frac{2}{3}$	
	$(=\frac{15}{4})$	$(=\frac{8}{3})$	

÷	17	6	$2\frac{5}{6}\,(=\frac{17}{6})$
	9	5	$1\frac{4}{5}\,(=\frac{9}{5})$
	$1\frac{8}{9}$	$1\frac{1}{5}$	
	$(=\frac{17}{9})$	$(=\frac{6}{5})$	

÷	5	7	$\frac{5}{7}$
	3	10	$\frac{3}{10}$
	$1\frac{2}{3}$	$\frac{7}{10}$	
	$(=\frac{5}{3})$		

÷	7	6	$1\frac{1}{6}\,(=\frac{7}{6})$
	19	11	$1\frac{8}{11}\,(=\frac{19}{11})$
	$\frac{7}{19}$	$\frac{6}{11}$	

34·35쪽

12 몫의 크기

월 일

■ 몫이 1보다 작은 것에 모두 ○표 하세요.

$5 \div 1$ $8 \div 7$ $3 \div 2$ $(5 \div 6)$
$(7 \div 8)$ $(1 \div 5)$ $(2 \div 3)$ $9 \div 8$

$(10 \div 11)$ $10 \div 10$ $6 \div 5$ $(3 \div 5)$
$10 \div 9$ $(10 \div 21)$ $11 \div 5$ $(4 \div 5)$

$(8 \div 9)$ $8 \div 3$ $16 \div 15$ $(14 \div 15)$
$(8 \div 13)$ $8 \div 7$ $(1 \div 15)$ $19 \div 15$

■ 조건에 맞는 것에 모두 ○표 하세요.

몫이 1보다 큰 식 : $2 \div 5$ $(5 \div 4)$ $(9 \div 5)$ $1 \div 9$

몫이 2보다 큰 식 : $(8 \div 3)$ $8 \div 7$ $(10 \div 3)$ $10 \div 7$

몫이 1보다 크고 2보다 작은 식 : $9 \div 13$ $(14 \div 13)$ $19 \div 9$ $(13 \div 9)$

몫이 2보다 크고 3보다 작은 식 : $9 \div 2$ $8 \div 4$ $(5 \div 2)$ $(11 \div 4)$

몫이 4보다 크고 5보다 작은 식 : $(14 \div 3)$ $(21 \div 5)$ $19 \div 6$ $17 \div 3$

13 큰 수, 작은 수

월 일

나눗셈의 몫을 분수로 나타내어 보세요.

| 5 | 6 |

큰 수를 작은 수로 나눈 몫 ($1\frac{1}{5}$) (= $\frac{6}{5}$)
6÷5

작은 수를 큰 수로 나눈 몫 ($\frac{5}{6}$)
5÷6

| 9 | 7 |

큰 수를 작은 수로 나눈 몫 ($1\frac{2}{7}$) (= $\frac{9}{7}$)

작은 수를 큰 수로 나눈 몫 ($\frac{7}{9}$)

| 13 | 8 |

큰 수를 작은 수로 나눈 몫 ($1\frac{5}{8}$) (= $\frac{13}{8}$)

작은 수를 큰 수로 나눈 몫 ($\frac{8}{13}$)

| 4 | 15 |

큰 수를 작은 수로 나눈 몫 ($3\frac{3}{4}$) (= $\frac{15}{4}$)

작은 수를 큰 수로 나눈 몫 ($\frac{4}{15}$)

| 25 | 3 |

큰 수를 작은 수로 나눈 몫 ($8\frac{1}{3}$) (= $\frac{25}{3}$)

작은 수를 큰 수로 나눈 몫 ($\frac{3}{25}$)

수 카드 중 2장을 빈칸에 써넣어 몫이 가장 작은 식을 만들고, 몫을 분수로 나타내어 보세요.

| 1 | 2 | 3 | 4 |

$\boxed{1} ÷ \boxed{4} = \frac{1}{4}$

가장 작은 몫은 1보다 작습니다.

| 8 | 7 | 6 | 5 |

$\boxed{5} ÷ \boxed{8} = \frac{5}{8}$

| 5 | 9 | 1 | 4 |

$\boxed{1} ÷ \boxed{9} = \frac{1}{9}$

| 7 | 5 | 9 | 2 |

$\boxed{2} ÷ \boxed{9} = \frac{2}{9}$

| 3 | 5 | 7 | 6 |

$\boxed{3} ÷ \boxed{7} = \frac{3}{7}$

| 8 | 4 | 3 | 6 |

$\boxed{3} ÷ \boxed{8} = \frac{3}{8}$

| 5 | 3 | 7 | 1 |

$\boxed{1} ÷ \boxed{7} = \frac{1}{7}$

| 9 | 8 | 5 | 4 |

$\boxed{4} ÷ \boxed{9} = \frac{4}{9}$

---

14 이야기하기 (1)

월 일

나눗셈식으로 나타내고, 답을 구해 보세요. (답은 분수로 나타냅니다.)

케이크 4개를 만드는 데 밀가루 1kg이 필요합니다. 케이크 1개를 만드는 데 필요한 밀가루는 몇 kg일까요?

식 $1 ÷ 4 = \frac{1}{4}$ 답 $\frac{1}{4}$ kg

우유 2L를 9명이 남김없이 똑같이 나누어 마셨습니다. 한 명이 마신 우유는 몇 L일까요?

식 $2 ÷ 9 = \frac{2}{9}$ 답 $\frac{2}{9}$ L

끈 5m를 3명이 남김없이 똑같이 나누어 가졌습니다. 한 명이 가진 끈은 몇 m일까요?

식 $5 ÷ 3 = 1\frac{2}{3}$ 답 $1\frac{2}{3}$ m
또는 $5 ÷ 3 = \frac{5}{3}$ (= $\frac{5}{3}$)

빵 12개를 남김없이 7명에게 똑같이 나누어 주려고 합니다. 한 명이 가지게 되는 빵은 몇 개일까요?

식 $12 ÷ 7 = 1\frac{5}{7}$ 답 $1\frac{5}{7}$ 개
또는 $12 ÷ 7 = \frac{12}{7}$ (= $\frac{12}{7}$)

나눗셈식으로 나타내고, 답을 구해 보세요. (답은 분수로 나타냅니다.)

길이가 10m인 통나무를 9도막으로 똑같이 잘랐습니다. 한 도막의 길이는 몇 m일까요?

식 $10 ÷ 9 = 1\frac{1}{9}$ 답 $1\frac{1}{9}$ m
또는 $10 ÷ 9 = \frac{10}{9}$ (= $\frac{10}{9}$)

양동이에 물 5L가 들어 있습니다. 물을 남김없이 화분 16개에 똑같이 나누어 주었습니다. 화분 하나에 준 물은 몇 L일까요?

식 $5 ÷ 16 = \frac{5}{16}$ 답 $\frac{5}{16}$ L

길이가 14cm인 철사를 남김없이 사용하여 정삼각형을 만들었습니다. 정삼각형한 변의 길이는 몇 cm일까요?

식 $14 ÷ 3 = 4\frac{2}{3}$ 답 $4\frac{2}{3}$ cm
또는 $14 ÷ 3 = \frac{14}{3}$ (= $\frac{14}{3}$)

넓이가 27m²인 텃밭이 있습니다. 텃밭을 똑같이 네 부분으로 나눈 다음, 한 부분에 감자를 심었습니다. 감자를 심은 텃밭의 넓이는 몇 m²일까요?

식 $27 ÷ 4 = 6\frac{3}{4}$ 답 $6\frac{3}{4}$ m²
또는 $27 ÷ 4 = \frac{27}{4}$ (= $\frac{27}{4}$)

40·41쪽

 15 이야기하기 (2)

철 일

■ 나눗셈식으로 나타내고, 답을 구해 보세요. (답은 분수로 나타냅니다.)

넓이가 21cm²인 정사각형을 똑같이 4부분으로 나누었습니다. 색칠한 부분의 넓이는 몇 cm²일까요?

식 $21 \div 4 = 5\frac{1}{4}$

또는 $21 \div 4 = \frac{21}{4}$ 답 $5\frac{1}{4}$ cm²

$(= \frac{21}{4})$

넓이가 16cm²인 직사각형을 똑같이 5부분으로 나누었습니다. 색칠한 부분의 넓이는 몇 cm²일까요?

식 $16 \div 5 = 3\frac{1}{5}$

또는 $16 \div 5 = \frac{16}{5}$ 답 $3\frac{1}{5}$ cm²

$(= \frac{16}{5})$

독일 국기의 넓이가 2m²라면 노란색 부분의 넓이는 몇 m²일까요?

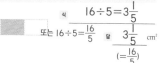

식 $2 \div 3 = \frac{2}{3}$

답 $\frac{2}{3}$ m²

■ 물음에 답하세요. (답은 분수로 나타냅니다.)

한 봉지에 $\frac{1}{4}$kg씩 들어 있는 설탕이 4봉지 있습니다. 이 설탕을 남김없이 사용하여 잼 3kg을 만들었습니다. 잼 1kg을 만드는 데 사용한 설탕은 몇 kg일까요?

설탕이 모두 몇 kg 있는지 구합니다. ($\frac{1}{3}$kg)

설탕: $\frac{1}{4} \times 4 = 1$(kg), 잼 1kg에 든 설탕: $1 \div 3 = \frac{1}{3}$(kg)

한 병에 $\frac{3}{2}$L씩 들어 있는 물이 2병 있습니다. 이 물을 남김없이 5명이 똑같이 나누어 마신다면 한 명이 마시는 물은 몇 L일까요?

물: $\frac{3}{2} \times 2 = 3$(L), 한 명이 마신 물: $3 \div 5 = \frac{3}{5}$(L) ($\frac{3}{5}$L)

길이가 $\frac{5}{3}$m인 끈 6개를 겹치는 부분 없이 이어 붙인 다음, 똑같이 7도막으로 잘랐습니다. 한 도막의 길이는 몇 m일까요?

끈의 길이: $\frac{5}{3} \times 6 = 10$(m), 한 도막: $10 \div 7 = 1\frac{3}{7}$(m) ($1\frac{3}{7}$m)

또는 $\frac{10}{7}$m

한 병에 $\frac{1}{2}$L씩 들어 있는 주스가 10병 있습니다. 이 주스를 14일 동안 남김없이 똑같이 나누어 마신다면 하루에 몇 L씩 마실 수 있을까요?

주스: $\frac{1}{2} \times 10 = 5$(L), 하루에 마시는 주스: $5 \div 14 = \frac{5}{14}$(L) ($\frac{5}{14}$L)

42쪽

■ 빈칸에 알맞은 수를 써넣고, 알맞은 말에 ○표 하세요.

물 1L는 컵 3개에, 주스 2L는 컵 5개에 남김없이 똑같이 나누어 담았습니다. 모든 컵의 모양과 크기가 같다면 한 컵에 담긴 물과 주스 중 어느 것이 더 많을까요?

물은 한 컵에 $1 \div 3 = \frac{1}{3}$(L), 주스는 한 컵에 $2 \div 5 = \frac{2}{5}$(L)이므로

한 컵에 들어 있는 물과 주스의 양 중 (물 (주스))이/가 더 많습니다.

$\frac{1}{3} = \frac{5}{15} < \frac{2}{5} = \frac{6}{15}$

넓이가 11m²인 가 화단에는 장미, 진달래를 똑같은 넓이로 심고, 넓이가 19m²인 나 화단에는 장미, 수선화, 튤립, 국화를 똑같은 넓이로 심었습니다. 장미를 심은 화단이 더 넓은 것은 어느 화단일까요?

가 화단에는 $11 \div 2 = \frac{11}{2}$(m²), 나 화단에는 $19 \div 4 = \frac{19}{4}$(m²)만큼

장미를 심었으므로 장미를 심은 화단이 더 넓은 것은 ((가) 나) 화단입니다.

$\frac{11}{2} = \frac{22}{4} > \frac{19}{4}$

16 나누어지는 수와 몫

월 일

■ 빈칸에 알맞은 수를 써넣으세요.

$300 \div 5 = \boxed{60}$
$\downarrow \frac{1}{10}$배 $\downarrow \frac{1}{10}$배
$30 \div 5 = \boxed{6}$
나누어지는 수가 작아지면 몫도 작아집니다.

$600 \div 3 = \boxed{200}$
$\downarrow \frac{1}{100}$배 $\downarrow \frac{1}{100}$배
$6 \div 3 = \boxed{2}$

$40 \div 5 = \boxed{8}$
$\downarrow \frac{1}{10}$배 $\downarrow \frac{1}{10}$배
$4 \div 5 = \boxed{0.8}$

$90 \div 6 = \boxed{15}$
$\downarrow \frac{1}{100}$배 $\downarrow \frac{1}{100}$배
$0.9 \div 6 = \boxed{0.15}$

$288 \div 4 = \boxed{72}$
$\downarrow \frac{1}{10}$배 $\downarrow \frac{1}{10}$배
$28.8 \div 4 = \boxed{7.2}$

$217 \div 7 = \boxed{31}$
$\downarrow \frac{1}{100}$배 $\downarrow \frac{1}{100}$배
$2.17 \div 7 = \boxed{0.31}$

★ 나누어지는 수와 몫의 관계

$240 \div 4 = 60$
$\downarrow \frac{1}{10}$배 $\downarrow \frac{1}{10}$배
$24 \div 4 = 6$

$240 \div 4 = 60$
$\downarrow \frac{1}{100}$배 $\downarrow \frac{1}{100}$배
$2.4 \div 4 = 0.6$

나누어지는 수가 $\frac{1}{10}$배(0.1배), $\frac{1}{100}$배 (0.01배)가 되면 몫도 각각 $\frac{1}{10}$배 (0.1배), $\frac{1}{100}$배(0.01배)가 됩니다.

■ 빈칸에 알맞은 수를 써넣으세요.

$70 \times 6 = \boxed{420}$ ➡ $420 \div 6 = \boxed{70}$
$\downarrow$ $\downarrow$
$7 \times 6 = \boxed{42}$ ➡ $42 \div 6 = \boxed{7}$

$400 \times 2 = \boxed{800}$ ➡ $800 \div 2 = \boxed{400}$
$\downarrow$ $\downarrow$
$4 \times 2 = \boxed{8}$ ➡ $8 \div 2 = \boxed{4}$

$25 \times 4 = \boxed{100}$ ➡ $\boxed{100} \div 4 = 25$
$\downarrow$ $\downarrow$
$2.5 \times 4 = \boxed{10}$ ➡ $\boxed{10} \div 4 = 2.5$

$30 \times 9 = \boxed{270}$ ➡ $\boxed{270} \div 9 = 30$
$\downarrow$ $\downarrow$
$0.3 \times 9 = \boxed{2.7}$ ➡ $\boxed{2.7} \div 9 = 0.3$

---

17 나누는 수와 몫

월 일

■ 빈칸에 알맞은 수를 써넣으세요.

$160 \div 80 = \boxed{2}$
$\downarrow \frac{1}{10}$배 $\downarrow$ 10배
$160 \div 8 = \boxed{20}$
나누는 수가 작아지면 몫은 커집니다.

$800 \div 200 = \boxed{4}$
$\downarrow \frac{1}{100}$배 $\downarrow$ 100배
$800 \div 2 = \boxed{400}$

$64 \div 4 = \boxed{16}$
$\downarrow \frac{1}{10}$배 $\downarrow$ 10배
$64 \div 0.4 = \boxed{160}$

$100 \div 50 = \boxed{2}$
$\downarrow \frac{1}{100}$배 $\downarrow$ 100배
$100 \div 0.5 = \boxed{200}$

$90 \div 3 = \boxed{30}$
$\downarrow \frac{1}{10}$배 $\downarrow$ 10배
$90 \div 0.3 = \boxed{300}$

$48 \div 6 = \boxed{8}$
$\downarrow \frac{1}{100}$배 $\downarrow$ 100배
$48 \div 0.06 = \boxed{800}$

★ 나누는 수와 몫의 관계

$120 \div 40 = 3$
$\downarrow \frac{1}{10}$배 $\downarrow$ 10배
$120 \div 4 = 30$

$120 \div 40 = 3$
$\downarrow \frac{1}{100}$배 $\downarrow$ 100배
$120 \div 0.4 = 300$

나누는 수가 $\frac{1}{10}$배(0.1배), $\frac{1}{100}$배(0.01배) 가 되면 몫은 각각 10배, 100배가 됩니다.

■ 빈칸에 알맞은 수를 써넣으세요.

$7 \times 80 = \boxed{560}$ ➡ $560 \div 80 = \boxed{7}$
$\downarrow$ $\downarrow$
$70 \times 8 = \boxed{560}$ ➡ $560 \div 8 = \boxed{70}$

$5 \times 6 = \boxed{30}$ ➡ $30 \div 6 = \boxed{5}$
$\downarrow$ $\downarrow$
$500 \times 0.06 = \boxed{30}$ ➡ $30 \div 0.06 = \boxed{500}$

$15 \times 5 = \boxed{75}$ ➡ $75 \div \boxed{5} = 15$
$\downarrow$ $\downarrow$
$150 \times 0.5 = \boxed{75}$ ➡ $75 \div \boxed{0.5} = 150$

$4 \times 90 = \boxed{360}$ ➡ $360 \div \boxed{90} = 4$
$\downarrow$ $\downarrow$
$400 \times 0.9 = \boxed{360}$ ➡ $360 \div \boxed{0.9} = 400$

48
·
49
쪽

18 나누어지는 수와 나누는 수

월 일

■ 빈칸에 알맞은 수를 써넣으세요.

$100 \div 20 = \boxed{5}$
$\frac{1}{10}$배 ↓ ↓ $\frac{1}{10}$배
$10 \div 2 = \boxed{5}$

$600 \div 200 = \boxed{3}$
$\frac{1}{100}$배 ↓ ↓ $\frac{1}{100}$배
$6 \div 2 = \boxed{3}$

$70 \div 7 = \boxed{10}$
$\frac{1}{10}$배 ↓ ↓ $\frac{1}{10}$배
$7 \div 0.7 = \boxed{10}$

$500 \div 10 = \boxed{50}$
$\frac{1}{100}$배 ↓ ↓ $\frac{1}{100}$배
$5 \div 0.1 = \boxed{50}$

$320 \div 8 = \boxed{40}$
$\frac{1}{10}$배 ↓ ↓ $\frac{1}{10}$배
$32 \div 0.8 = \boxed{40}$

$900 \div 25 = \boxed{36}$
$\frac{1}{100}$배 ↓ ↓ $\frac{1}{100}$배
$9 \div 0.25 = \boxed{36}$

★ 나누어지는 수와 나누는 수의 관계

$200 \div 40 = 5$
$\frac{1}{10}$배 ↓ ↓ $\frac{1}{10}$배
$20 \div 4 = 5$

$200 \div 40 = 5$
$\frac{1}{100}$배 ↓ ↓ $\frac{1}{100}$배
$2 \div 0.4 = 5$

나누어지는 수와 나누는 수에 같은 수를
곱하면 몫은 변하지 않습니다.

■ 빈칸에 알맞은 수를 써넣으세요.

$4 \times 30 = \boxed{120}$ ➡ $120 \div 30 = \boxed{4}$
↓ ↓
$4 \times 3 = \boxed{12}$ ➡ $12 \div 3 = \boxed{4}$

$16 \times 50 = \boxed{800}$ ➡ $800 \div 50 = \boxed{16}$
↓ ↓
$16 \times 0.5 = \boxed{8}$ ➡ $8 \div 0.5 = \boxed{16}$

$420 \times 2 = \boxed{840}$ ➡ $840 \div \boxed{2} = 420$
↓ ↓
$420 \times 0.2 = \boxed{84}$ ➡ $84 \div \boxed{0.2} = 420$

$40 \times 15 = \boxed{600}$ ➡ $600 \div \boxed{15} = 40$
↓ ↓
$40 \times 0.15 = \boxed{6}$ ➡ $6 \div \boxed{0.15} = 40$

50
·
51
쪽

19 자연수를 이용한 나눗셈

월 일

■ 빈칸에 알맞은 수를 써넣으세요.

$260 \div 2 = \boxed{130}$
$26 \div 2 = \boxed{13}$
$2.6 \div 2 = \boxed{1.3}$

$40 \div 5 = \boxed{8}$
$4 \div 5 = \boxed{0.8}$
$0.4 \div 5 = \boxed{0.08}$

$360 \div 40 = \boxed{9}$
$360 \div 4 = \boxed{90}$
$360 \div 0.4 = \boxed{900}$

$9 \div 3 = \boxed{3}$
$9 \div 0.3 = \boxed{30}$
$9 \div 0.03 = \boxed{300}$

$500 \div 20 = \boxed{25}$
$50 \div 2 = \boxed{25}$
$5 \div 0.2 = \boxed{25}$

$800 \div 160 = \boxed{5}$
$80 \div 16 = \boxed{5}$
$8 \div 1.6 = \boxed{5}$

■ 나눗셈의 몫을 찾아 ○표 하세요.

$50 \div 4$
$\boxed{12.5}$
125
1.25
500÷4=125

$9 \div 6$
0.15
15
$\boxed{1.5}$
90÷6=15

$4.3 \div 5$
8.6
$\boxed{0.86}$
86
430÷5=86

$84 \div 0.4$
2.1
$\boxed{210}$
0.21
84÷4=21

$150 \div 0.3$
$\boxed{500}$
0.5
5
150÷3=50

$28 \div 0.07$
0.04
40
$\boxed{400}$
28÷7=4

$40 \div 2.5$
$\boxed{16}$
1.6
160
400÷25=16

$17 \div 0.5$
3.4
340
$\boxed{34}$
170÷5=34

$11 \div 2.2$
0.5
$\boxed{5}$
50
110÷22=5

20 mm, cm, m

■ 빈칸에 알맞은 수를 써넣으세요.

0 ─────────────────── 300 (mm)
0 ─────────────────── 30 (cm)
300mm=30cm

300mm를 4등분한 것 중의 하나는 $\boxed{75}$ mm입니다. ➡ $300 \div 4 = \boxed{75}$

30cm를 4등분한 것 중의 하나는 $\boxed{7.5}$ cm입니다. ➡ $30 \div 4 = \boxed{7.5}$

0 ─────────────────── 600 (cm)
0 ─────────────────── 6 (m)

600cm를 5등분한 것 중의 하나는 $\boxed{120}$ cm입니다. ➡ $600 \div 5 = \boxed{120}$

6m를 5등분한 것 중의 하나는 $\boxed{1.2}$ m입니다. ➡ $6 \div 5 = \boxed{1.2}$

0 ─────────────────── 276 (mm)
0 ─────────────────── 27.6 (cm)

276mm를 3등분한 것 중의 하나는 $\boxed{92}$ mm입니다. ➡ $276 \div 3 = \boxed{92}$

27.6cm를 3등분한 것 중의 하나는 $\boxed{9.2}$ cm입니다. ➡ $27.6 \div 3 = \boxed{9.2}$

■ 빈칸에 알맞은 수를 써넣으세요.

길이가 72cm인 끈을 똑같이 5등분으로 자르려고 합니다.

1cm=10mm이므로 72cm= $\boxed{720}$ mm입니다.

$720 \div 5 = \boxed{144}$, 한 도막의 길이는 $\boxed{144}$ mm이므로 $\boxed{14.4}$ cm입니다.

길이가 33.6cm인 나무 막대를 똑같이 2도막으로 자르려고 합니다.

1cm=10mm이므로 33.6cm= $\boxed{336}$ mm입니다.

$336 \div 2 = \boxed{168}$, 한 도막의 길이는 $\boxed{168}$ mm이므로 $\boxed{16.8}$ cm입니다.

길이가 4m인 철사를 똑같이 10도막으로 자르려고 합니다.

1m= $\boxed{100}$ cm이므로 4m= $\boxed{400}$ cm입니다.

$400 \div 10 = \boxed{40}$, 한 도막의 길이는 $\boxed{40}$ cm이므로 $\boxed{0.4}$ m입니다.

■ 물음에 답하세요.

현우는 길이가 200mm인 가래떡을 똑같이 8조각으로 잘랐습니다. 준호도 같은 방법으로 길이가 20cm인 가래떡을 똑같이 8조각으로 잘랐습니다. 준호가 자른 가래떡 1개의 길이는 몇 cm일까요?

20cm는 200mm이므로
$200 \div 8 = 25$(mm), 25mm는 2.5cm입니다.
(2.5cm)

지은이는 리본 4개를 만들려고 끈 420cm를 똑같이 4등분했습니다. 다희도 같은 방법으로 끈 4.2m를 똑같이 4등분했습니다. 다희가 리본 1개를 만들기 위해 자른 끈은 몇 m일까요?

4.2m는 420cm이므로
$420 \div 4 = 105$(cm), 105cm는 1.05m입니다.
(1.05m)

길이가 81.5cm인 철사를 5명에게 남김없이 똑같이 나누어 주려고 합니다. 한 명에게 줄 수 있는 철사는 몇 cm일까요?

81.5cm는 815mm이므로
$815 \div 5 = 163$(mm), 163mm는 16.3cm입니다.
(16.3cm)

책상을 만들기 위해 길이가 3.96m인 나무 판자를 똑같이 3도막으로 잘랐습니다. 자른 한 도막의 길이는 몇 m일까요?

3.96m는 396cm이므로
$396 \div 3 = 132$(cm), 132cm는 1.32m입니다.
(1.32m)

정답

56 · 57 쪽

 21 분수를 소수로 나타내기

월 일

■ 빈칸에 알맞은 수를 써넣어 분수를 소수로 나타내어 보세요.

$\frac{1}{2} = \frac{\boxed{5}}{10} = \boxed{0.5}$

$\frac{5}{4} = \frac{\boxed{125}}{100} = \boxed{1.25}$

$\frac{37}{50} = \frac{\boxed{74}}{\boxed{100}} = \boxed{0.74}$

$\frac{31}{20} = \frac{\boxed{155}}{\boxed{100}} = \boxed{1.55}$

$\frac{6}{8} = \frac{\boxed{3}}{4} = \frac{\boxed{75}}{100} = \boxed{0.75}$

$\frac{24}{30} = \frac{\boxed{4}}{5} = \frac{\boxed{8}}{10} = \boxed{0.8}$

$\frac{9}{18} = \frac{\boxed{1}}{2} = \frac{\boxed{5}}{10} = \boxed{0.5}$

$\frac{86}{40} = \frac{43}{\boxed{20}} = \frac{\boxed{215}}{\boxed{100}} = \boxed{2.15}$

★ **분수를 소수로 나타내기**

분자와 분모에 같은 수를 곱하거나 나누어 분모를 10, 100으로 바꾼 다음 소수로 나타냅니다.

$\frac{3}{5} = \frac{3 \times 2}{5 \times 2} = \frac{6}{10} = 0.6$　　$\frac{3}{15} = \frac{1}{5} = \frac{2}{10} = 0.2$ 필요하면 약분을 한 다음

$\frac{26}{25} = \frac{26 \times 4}{25 \times 4} = \frac{104}{100} = 1.04$　　$\frac{9}{12} = \frac{3}{4} = \frac{75}{100} = 0.75$ 분모를 10, 100으로 만듭니다.

■ 관계 있는 것끼리 이어 보세요.

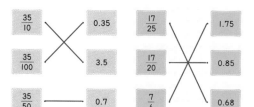

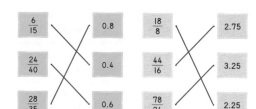

56　교과연산 F0 (수특강)

5주차. 자연수의 나눗셈 (3)　57

---

58 · 59 쪽

22 분수로 계산하기

월 일

■ 몫을 분수로 나타낸 다음, 소수로 나타내어 보세요.

$1 \div 4 = \frac{\boxed{1}}{4} = \frac{\boxed{25}}{100} = \boxed{0.25}$ ■●■입니다.

$25 \div 2 = \frac{\boxed{25}}{2} = \frac{\boxed{125}}{10} = \boxed{12.5}$

$3 \div 5 = \frac{\boxed{3}}{5} = \frac{\boxed{6}}{10} = \boxed{0.6}$

$9 \div 20 = \frac{9}{\boxed{20}} = \frac{\boxed{45}}{100} = \boxed{0.45}$

$54 \div 45 = \frac{\boxed{54}}{45} = \frac{\boxed{6}}{5} = \frac{\boxed{12}}{10} = \boxed{1.2}$

$35 \div 28 = \frac{35}{\boxed{28}} = \frac{5}{4} = \frac{\boxed{125}}{100} = \boxed{1.25}$

■ 나눗셈의 몫을 소수로 나타내어 보세요.

$9 \div 2 = 4.5$　　　　$11 \div 5 = 2.2$

$3 \div 10 = 0.3$　　　　$3 \div 4 = 0.75$

$12 \div 25 = 0.48$　　　$23 \div 50 = 0.46$

$31 \div 20 = 1.55$　　　$15 \div 4 = 3.75$

$15 \div 6 = 2.5$　　　　$21 \div 15 = 1.4$

$22 \div 8 = 2.75$　　　$36 \div 24 = 1.5$

$72 \div 40 = 1.8$　　　$81 \div 30 = 2.7$

58　교과연산 F0 (수특강)

5주차. 자연수의 나눗셈 (3)　59

14　교과연산 F0 〈수특강〉

23강 자연수로 계산하기

빈칸에 알맞은 수를 써넣으세요.

$30 \div 2 = \boxed{15}$ $300 \div 4 = \boxed{75}$

$3 \div 2 = \boxed{1.5}$ $3 \div 4 = \boxed{0.75}$

나누어지는 수가 $\frac{1}{10}$배 되면 몫도 $\frac{1}{10}$배가 됩니다.

$270 \div 6 = \boxed{45}$ $400 \div 25 = \boxed{16}$

$27 \div 6 = \boxed{4.5}$ $4 \div 25 = \boxed{0.16}$

$20 \div 5 = \boxed{4}$ $200 \div 8 = \boxed{25}$

$2 \div 5 = \boxed{0.4}$ $2 \div 8 = \boxed{0.25}$

$30 \div 15 = \boxed{2}$ $900 \div 50 = \boxed{18}$

$3 \div 15 = \boxed{0.2}$ $9 \div 50 = \boxed{0.18}$

계산해 보세요.

$\boxed{25}$ → $\boxed{2.5}$

$\boxed{24}$ → $\boxed{0.24}$

$\boxed{35}$ → $\boxed{3.5}$

$\boxed{525}$ → $\boxed{5.25}$

★ 세로로 계산하기

몫의 소수점은 자연수 바로 뒤에서 올려서 찍습니다.

소수점 아래에서 내릴 수가 없는 경우 0을 내려서 계산합니다.

24강 몫이 소수인 나눗셈

나눗셈의 몫을 소수로 나타내어 보세요.

$\boxed{2}$ $\boxed{5}$
큰 수를 작은 수로 나눈 몫 (2.5)
작은 수를 큰 수로 나눈 몫 (0.4)

$\boxed{25}$ $\boxed{4}$
큰 수를 작은 수로 나눈 몫 (6.25)
작은 수를 큰 수로 나눈 몫 (0.16)

$\boxed{6}$ $\boxed{75}$
큰 수를 작은 수로 나눈 몫 (12.5)
작은 수를 큰 수로 나눈 몫 (0.08)

$\boxed{20}$ $\boxed{25}$
큰 수를 작은 수로 나눈 몫 (1.25)
작은 수를 큰 수로 나눈 몫 (0.8)

$\boxed{16}$ $\boxed{40}$
큰 수를 작은 수로 나눈 몫 (2.5)
작은 수를 큰 수로 나눈 몫 (0.4)

나눗셈의 몫을 소수로 나타내어 보세요.

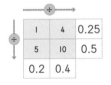

÷		
1	4	0.25
5	10	0.5
0.2	0.4	

÷		
32	25	1.28
50	20	2.5
0.64	1.25	

÷		
17	10	1.7
25	4	6.25
0.68	2.5	

÷		
21	42	0.5
6	15	0.4
3.5	2.8	

÷		
52	8	6.5
16	5	3.2
3.25	1.6	

÷		
36	15	2.4
40	25	1.6
0.9	0.6	

64 · 65 쪽

 25 이야기하기

월 일

📖 물음에 답하세요. (답은 소수로 나타냅니다.)

정사각형의 둘레가 30cm입니다. 정사각형의 한 변의 길이는 몇 cm일까요?

식 30÷4=7.5

답 7.5 cm

정육각형의 둘레가 51cm입니다. 정육각형의 한 변의 길이는 몇 cm일까요?

식 51÷6=8.5

답 8.5 cm

넓이가 46cm²인 직사각형을 똑같이 8등분했습니다. 색칠한 부분의 넓이는 몇 cm² 일까요?

식 46÷8=5.75

답 5.75 cm²

📖 물음에 답하세요. (답은 소수로 나타냅니다.)

사과 13개를 4명이 똑같이 나누어 가지려고 합니다. 한 명이 가질 수 있는 사과는 몇 개일까요?

식 13÷4=3.25

답 3.25 개

5천 원으로 철사 4m를 살 수 있습니다. 천 원으로 살 수 있는 철사는 몇 m일까요?

식 4÷5=0.8

답 0.8 m

무게가 모두 같은 귤 40개의 무게가 6kg입니다. 귤 1개는 몇 kg일까요?

식 6÷40=0.15

답 0.15 kg

흙 27kg을 화분 12개에 똑같이 나누어 담으려고 합니다. 화분 한 개에 담는 흙은 몇 kg일까요?

식 27÷12=2.25

답 2.25 kg

66 쪽

📖 물음에 답하세요. (답은 소수로 나타냅니다.)

둘레가 56cm인 정오각형이 있습니다. 정오각형의 한 변의 길이는 몇 cm일까요?

식 56÷5=11.2

답 11.2 cm

자동차가 일정한 빠르기로 1시간에 81km를 갔습니다. 이 자동차가 10분 동안 간 거리는 몇 km일까요?

식 81÷6=13.5

답 13.5 km

오징어 한 축은 20마리입니다. 오징어 한 축의 무게가 5kg이라면 오징어 한 마리 무게의 평균은 몇 kg일까요?

식 5÷20=0.25

답 0.25 kg

연성이네 집에서 9월 한 달 동안 소비한 쌀이 18kg입니다. 연성이네 집에서 하루 에 소비한 쌀의 평균은 몇 kg일까요?

식 18÷30=0.6

답 0.6 kg

하루 한 장 75일
집중 완성

교과
연산

하루 한 장 75일 집중 완성 교과연산

수특강 | 집중연산

초6

F0

F1, F2, F3

"연산을 이해하려면 수를 먼저 이해해야 합니다."

"계산은 문제를 해결하는 하나의 과정입니다."

"교과연산은 상황을 판단하는 능력을 길러줍니다."

HERO